박봉수, 아프리카를 만나다

박봉수
아프리카를 만나다

- 어느 경제관료의 유별난 도전 -

교통

박봉수,
아프리카를 만나다
contents
목차

프롤로그   6

01   인류의 시원을 좇아서   15

02   지구의 아궁이 '다나킬'   29

03   원시부족공동체의 도전   51

04   영광 에티오피아의 아련한 추억   83

05   시바와 솔로몬의 로맨스가 역사를 쓰다   121

06   잃어버린 언약궤를 찾아서   137

07   새로 쓰는 아프리카 선사 미술   147

08   킬리만자로의 눈물   163

09   리빙스턴이 만난 '빅토리아 폭포'   181

10   사바나 초원 사파리 그리고 바다 승마   199

11   흑인 노예로 얼룩진 '인도양의 흑진주'   223

에필로그   236

[부록] 에티오피아, 탄자니아 여행 자료   243

아프리카,

태고의 자연과 태초의 생명,
그 뜨거운 열정의 대륙을 체험하였다.

　학창시절 나는 취미로 산생활을 즐기면서 에베레스트 정상 등정의 꿈도 꾸어보기는 하였지만, 이어지는 사회생활은 장시간 준비와 시간이 소요되는 산행이나 오지 탐방과는 거리를 둘 수밖에 없었다.

경력으로 보면 이른바 엘리트 코스를 거친 먹물로서, 행정고시를 거쳐 경제 관료로 일했다. 재무부에서 공직생활을 시작해 IMF, 세계은행 등의 국제기구와 해외 재무관으로 일하면서 국제 감각도 익혔다. 귀국해서는 고위 관료로 대통령비서실 비서관으로 근무하였고 정치의 본산인 국회에서 수석전문위원으로 일하기도 했다.

기술보증기금 이사장에서 퇴임한 2005년부터는 시간적 여유가 생겼다. 완전히 일을 그만둔 것은 아니었지만 회계법인 고문, 금융지주회사 사외이사를 하면서 비교적 시간 활용을 할 수 있는 여지가 주어졌다. 그 때부터 나는 어린 시절부터 하고 싶었던 일들을 하나하나 차근차근 적극적으로 해 나가고자 하였다.

나는 꿈이 있었다. 세계에서 가장 높은 산을 오르고 싶다는 꿈. 그 꿈을 위해 나는 학교 때부터 암벽등반을 하면서 체력을 기르고 경험을 쌓았다. 시간이 허락되면 자연과 함께 야영 생활도 즐겼다. 심지어는 청와대 비서관 시절인 1996년부터 1997년 기간 중에도 고등학교 산악반 친구들과 잠깐씩 짬을 내서 백두대간 종주에 참여하곤 하였다.

퇴임이후 제일 먼저 찾아간 곳은 히말라야였다. 산을 사랑하는 사람답게, 히말라야 트레킹은 에베레스트 베이스캠프(EBC 5300m)를 비롯해 쿰부 지방 5600m고지 3곳을 오르면서 한 달 동안 계속되었다. 당시 베이스캠프에서 에베레스트(8848m) 등정에 나서는 산악인을 부러운 눈초리로 바라보면서 이미 흘러간 세월을 안타까이 생각하며, 고도 6000m 이상 높이에 대한 욕구는 접고 현재 여건에 맞추어 산행할 수밖에 없다고 마음을 다잡았다. 그 아쉬움은 이후 6번이나 이어지는 히말라야 트레킹으로 풀고 위로 받으려 했다.
하지만 뭔가 모를 아쉬움은 쉽사리 사라지지 않았다. 산에 대한 열정을 간직한 채 그 동안 마음속 깊이 담아 두었던 신비로운 험지나 호기심 어린 이방지대 탐방에 나서기로 하였다. 오지 탐험에의 열정은 어쩌면 그렇게 타오르기 시작했는지 모른다. 쉽게 가볼 수 없는 지구

촌에 대한 나의 여행 의지는 히말라야 뿐 만 아니라 알프스, 안데스, 파타고니아 산행으로 나의 발길을 돌렸다.

스페인 산티아고, 티베트 카일라스, 일본 오헨로 순례의 길을 찾았고 그리고 메이지유신을 있게 한 사카모토 료마의 '탈번의 길'을 따라 답사에 나섰으며 한편으로는 유럽과 남미의 미술과 음악 테마투어도 즐겼다. 나아가 남미로 BC 3,300년 까지 거슬러 올라가는 산아구스틴, 티와나카, 나스카 고대 유적과 아마존 밀림 탐방을 다녀왔다. 시베리아 횡단 여정 그리고 북극해 무르만스크 오로라 투어를 하였으며, 급기야 드디어 2018년부터 두 차례에 걸친 아프리카 탐방 길에 올랐다.

아프리카 여행을 계획하면서 처음 떠올렸던 것은 초등학교 시절의 위인전에서 본 '리빙스턴'과 영화 '잃어버린 성궤를 찾아서'였다. 에티오피아는 모세의 십계명이 담긴 '언약궤'의 역사가 있는 곳이다. 우리가 익히 듣고 보아온 '솔로몬 왕과 시바의 여왕'은 당대의 로맨스로 끝나는 것이 아니라, 여왕은 시바로 돌아와 아들을 낳으면서 스토리는 후세까지 이어지며 역사와 설화를 만들어 낸다.

성장한 아들은 예루살렘으로 가서 아버지를 만났고 그가 다시 고향으로 돌아올 때 솔로몬 왕으로부터 언약궤를 받아 오며 에티오피아에 메넬리크 왕조를 열면서, 사라졌다고 하는 성궤는 에티오피아 악숨에 보관되어 있다는 것이다.

실제 에티오피아에서 나는 찬란한 과거 문명의 숨결을 느낄 수 있었다. 솔로몬과 시바의 후예라고 자처하는 에티오피아 국민들의 선민의식과 자부심도 가슴에 와닿았다.

나는 단순한 투어보다는 역사와 문화가 중심이 된 여정을 밟고 싶었다. 그래서 처음부터 고대 인류가 남긴 암석화나 선사미술에 관심이 많았다. 탄자니아에서 유네스코 세계문화유산 중 하나인 콜로(Kolo)/콘도아(Kondoa) 암벽화를 찾아보고 수천 년 미술사의 숨결을 접해 보기 위해서 별도로 일정을 마련하여 달려갔던 것은 그 때문이었다.

지구의 아궁이라 불리는 다나킬 저지대에서는 아직도 뜨겁게 끓어오르는 시뻘건 용암을 분출하는 활화산을 가까이에서 만나 생과 사의 공존이 균형을 이루는 자연과 나를 돌아보았다. 끝없이 이어진 드넓은 평원이 온통 소금으로 덮여있는 소금사막은 실로 장관이 아닐 수 없었다. 다나킬의 뜨거움과 지독한 유황냄새가 아직도 옆에서 진동을 하는 것 같다.

오모벨리에서는 아직까지 남아있는 원시 부족들을 잊을 수 없다. 나는 그들과 같이 숙식을 같이하기도 하였다. 원시부족들이 깔아준 소가죽을 요 삼고, 배낭을 베개 삼아 아프리카의 별을 보며 잠들었던 밤도 있었다.
원시부족들은 아직까지 공동생산 사회를 유지하고는 있었다. 그러나 그들은 계속 외부세계와 접촉하면서 모든 것을 공유하던 방식에서 조금씩 벗어나 시장경제의 돈맛을 알아가고 있었다. 원시부족들은 외부인이 오면 함께 사진을 찍어주고 한 컷 당 500원씩 대가를 받아 챙겼다. 이 때 서로 사진을 찍겠다며 각자 열심히 나름의 비즈니스를 하는 부족이 있는가 하면, 족장이 한번에 2만 원을 받고 누구와 사진을 찍어도 좋다고 자유롭게 허용해주는 부족도 있었다.

평생을 산을 즐기던 내가 아프리카까지 가서 산을 놓칠 수는 없었다. 세계의 어느 구석을 가건 산행은 기본이다. 나는 해발 5,895m 킬리만자로를 올랐다.
그러나 킬리만자로에서 느꼈던 것은 자연의 아름다움뿐이 아니었다. 그보다는 지구온난화로 신음하는 킬리만자로의 눈물을 먼저 보았다. 킬리만자로의 성상부근에서는 만년설이 점점 줄어들고 있었다. 우리를 안내하던 가이드는 만년설이 있던 자리를 가리키며 "10년 전에는 저 끝에 눈이 있었는데 지금은 수 백 미터 위로 올라가야 눈을 볼 수 있다"고 말하기도 했다. 그렇게 킬리만자로는 눈이 아니라 눈물로서 지구의 아픔을 호소하고 있었다.

나는 학교 시절부터 역사에 관심이 많았다. 하지만 당시 나에게는 '역사'를 비롯한 인문과학 전공이 다소 한가로운 말처럼 들릴 때였다. 60년대 후반의 대한민국은 경제, 사회적으로 급박하게 돌아가고 있었다. 내가 대학에 들어갔던 1967년은 우리나라가 경제개발의 가시화로 경제가 꿈틀거리고 있으면서, 하루속히 보릿고개에서 벗어나고 국가건설을 위한 기초 벽돌을 하나라도 더 쌓는 것이 긴박하고 중요한 시기였다.

나는 결국 상대로 진학했다. 졸업 후에 사학과 편입도 생각해 보았지만 그러기에는 너무 멀리 온 것 같았다. 재학시절 공인회계사와 행정고시에 합격했는데 당시에는 고시 합격 이후 임용을 못 하면 자격이 무효가 되었다.

결국 공무원이 되었지만, 이루지 못한 역사에 대한 열정은 은퇴 이후 세계 각국의 여행지를 다니며 역사와 인문에 대한 깊은 관심을 기울이는 것으로 나타났다. 이 책을 집필하는 동안에도 나는 최대한 인문학적인 메시지를 담고 싶었다.

무엇보다 잊을 수 없는 역사의 현장은 잔지바르 섬이었다. 잔지바르는 아랍풍의 건축물들과 오만 제국의 요새, 이슬람 사원, 성공회 성당 등이 어울리며 아프리카, 아랍, 유럽의 문명이 함께 섞여있는 독특한 스와힐리 문화권이다. 그래서 사람들은 잔지바르를 '인도양의 흑진주'라고 부르곤 한다.

그러나 역사와 함께 생각한나면 그곳은 그냥 인노양의 신주가 아니었다. 나는 이 책을 통해 잔지바르를 흑인노예로 얼룩진 '인도양의 슬픈 진주'라고 적었다.

노예무역이 활개 치던 시절, 잔지바르는 대륙에서 멀쩡한 흑인들을 사냥하듯이 잡아와서 최종적으로 경매를 붙인 뒤에 유럽으로 팔아넘기는 종착지이자 시발지 이었다. 스톤 타운에는 지금도 노예들을 보관(?)했던 방이 있다. 내가 보기엔 많아야 10명 정도 있으면 좋을 공간인데 50명~75명의 노예들이 갇혀 있었다고 한다. 그곳에서 나는 노예들이 다시는 돌아올 수 없는 길을 떠나기 전 모든 것을 포기하는 그 비참한 얼굴을 상상해 보았다. 인간이 인간을 상품처럼 팔아먹고 거래하던 어두운 역사의 현장이었다.

역사와 문명에만 관심을 가졌던 것은 아니었다. 나는 아프리카 오지 여행 중이나 산행을 마친 후에도 그때그때 주어진 여건에서 현장을 즐기고 릴랙스 하며 쉬는 일정을 마련해 놓았다. 실제 아프리카는 최고의 휴양지이기도 하다. 하얀 모래사장 위에 펼쳐진 바다와 야자수 밑에서 모든 것을 내려놓고 자연의 품에서 쉬기도 하였다.
빅토리아 폭포를 방문했을 때는 "이왕이면 하늘에서 보아야 하겠다"는 생각으로 스카이다이빙에 도전하기도 했다. 사파리도 다양했다. 차량 사파리 외에도 승마 사파리, 낙타 사파리가 그렇다. 말을 타고 물속을 가로 지르며 인도양을 헤엄치기도 하였다.

그러나 어딜 가건 경제관료 출신을 벗어나지는 못하는 것 같기도 했다. 아프리카 여행 기간 내내 머릿속에서 떠나지 않은 고민이 있었다. 그것은 어떻게 하면 아프리카의 발전적 대안을 만들 수 있을까? 라는 질문이었다. 나는 세계은행에서 근무하면서 국제경제를 제법 들여다본 적이 있었다. 나의 관점으로는 인류의 시원지 이자 풍부한 자원을 가진 대륙, 아프리카가 왜 오늘날 세계 최빈국으로 머물러야 하는지? 그런 아쉬움 섞인 의문이 당연히 들지 않을 수 없었다.

원인은 여러 가지가 있겠다. 종교와 인종과 문화로 분열되어 있는 아프리카의 현실이 일단 발목을 잡고 있는 듯 했다. 지리적 조건도 좋지 않다. 열대우림이다 보니 인간의 접근 자체가 허용이 안 되는 지역이 많고 대륙의 내부를 흐르는 강이 있지만 거대한 폭포를 만나거나 절벽으로 흘러가기 때문에 경제수로의 역할을 할 수 없다. 지도자와 공무원들이 소중한 자원을 해외에 수출하고도 그 돈을 국가 발전이나 사회복지에 쓰는 것이 아니라 자기 주머니를 채우는 일에만 급급해 하는 현실도 비일비재하다.

그러나 언젠가는 아프리카가 인류의 발생지로서 고대부터 이어져 온 문명문화권의 영광을 되찾을 수 있을 것이라고 나는 생각한다. 이 책에서 아프리카의 꿈이라고 이름 붙여 본 그것은 바로 이 아프리카의 미래에 대한 꿈이다.

수 십 일에 걸친 아프리카 여행에서 얻은 결론은 아프리카야 말로 미지의 대륙이자 적도의 태양처럼 뜨거운 잠재력을 가진 대륙이라는 사실이다.

책을 마무리하며 먼저 이날 이때까지 평생을 한 결 같이 사랑으로 지켜주시는 백수를 앞두신 어머니에게 이 책을 드린다. 또한 출판에 결정적인 도움을 준 삼화인쇄(주) 유성근님과 편집을 맡아서 조언을 아끼지 않은 박메타님 그리고 도서출판 글통 관계자들에게 깊은 감사의 마음을 전한다. 그분들의 사랑과 응원이 있었기에 나는 미지의 대륙에 열정과 애정으로 도전할 수 있었고, 또한 헌신적인 수고와 성원에 힘입어 그 동안의 발품과 체험이 출간으로 빛을 보게 되었다.

검은 대륙 아프리카가 빈곤과 분열을 넘어 미래를 향한 아름다운 꿈을 펼쳐 나아가기를 진심으로 소망해 본다.

2020년 6월

평창에서 박 봉 수

bongspark@hanmail.net

Australopithecus
afarensis

"Lucy"

01

인류의 시원을 좇아서

아디스아바바 국립박물관에서 시작된
아프리카 여정

 아프리카는 인류가 가장 오래 살아온 지역이다. 세계적 수준의 부
존자원을 보유하고 있음에도 불구하고 오늘날 세상에서 가장 낙후된
저개발 지역으로 남겨진 곳이기도 하다. 나는 그 거대한 대륙 아프리
카를 찾아, 인류 태동의 시원지로서 최초의 원시 인류문화 발상지로
서의 발자취를 더듬어 보고 싶었다.

 1936년 남아프리카 트란스발 동굴, 1959년 탄자니아 올두바이 협
곡 나아가 에티오피아 오모강 유역과 케냐 루돌프호 북쪽 기슭에서
530만 년 전 '오스트랄로피테쿠스(남쪽의 민꼬리원숭이)' 라는 인류
조상으로 믿어지는 화석이 최초로 발견되었다. 물론 진화론적 설명
이다.
 먼저 찾은 곳은 아디스아바바에 있는 국립 박물관이었다.
그곳에서 인류의 시원을 밝혀주는 유원인 침팬지와 직립 인류 사이
의 중간진화 형태인 아르디(Ardi 440만년전), 최초 직립인류 원인

루시(Lucy 330만년전), 셀람(Selam, Peace, 320만년전), 현생 인류의 조상 이달투(Idaltu 16만년전)를 잇는 인골들을 접해 보았다. 방사선동위원소 연대기측정분석을 통한 과학자, 인류 고고학자들의 집요한 추적과 세월을 뛰어 넘어 다시 부활한 인류의 조상에 대해 경외심이 절로 느껴졌다.

인류의 시조는 대략 700만 년 전에 처음 출현한 것으로 여겨진다. 침팬지와 직립 인류 중간 아르디는 440만 년 전, 직립원인 루시는 320만 년 전, 최초의 인류 인공물은 250만 년 전, 아프리카 밖으로의 이동은 180만 년 전으로 본다. 현생 인류인 사피엔스의 등장은 20만 년 전, 문자의 발명은 5500년 전으로 학자들은 보고 있다.

아디스아바바 국립 박물관

아르디는 특별히 작은 송곳니와 해골로 인해 여성으로 여겨지는 440만 년 전 존재다. 120cm키에 45-50kg 몸무게로 침팬지 암놈과 비슷한 크기이다. 나무에 오를 때나 걸을 때 네 개의 팔 다리를 모두 사용하는 침팬지와 직립 루시의 골반 형태를 갖추고, 침팬지 보다는 짧지만 인류보다는 긴 팔과 손을 이용해 나무를 잘 오르며, 땅에서는 바깥을 향한 평평한 두발로 오래 지속은 못하지만 걷거나 달릴 수 있었다.

에티오피아에서 딩크네쉬(Dinknesh 당신은 경이롭다)라고 불리며 세계적으로 알려진 320만 년 전 '루시' 는 1974년 발견되었다. 이 여인은 키 105cm로서 닳지 않은 사랑니 때문에 젊은 나이에 죽었을 것으로 추정된다. 그녀는 아르디 보다 키와 몸이 작았던 최초의 '직립 원인(Homo Erectus)' 이었다. 현생 인류와 거의 유사한 골반을 가지고 현생 인류보다는 더 잘 나무에 오르고, 아르디 보다는 더 쉽게 지상에서 생활하면서 오직 두 다리로만 걸었다.
길고 큰 턱으로 인해 현재 인간과 구별되는 루시는 유원인에서 보이는 앞을 향한 얼굴 모형을 보인다. 죽어서 호수의 뻘 속에 서서히 가라앉아 화석화되는 덕분에 발견 시까지 절반 정도의 뼈를 온전히 보존할 수 있었다. 2000년에 애기 인간 조상으로서 가장 오래되고 완벽한 골격을 갖춘 상태로 발견된 330만 년 전 '셀람'은 루시보다 10만 년 전에 살았던 세 살짜리 어린 여자이다.

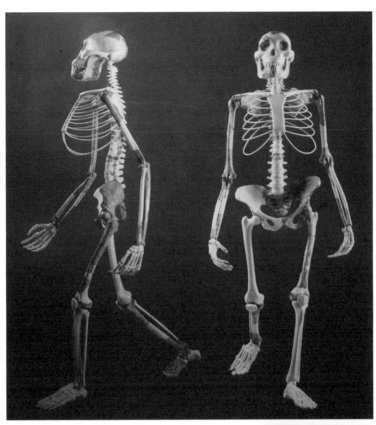

–
320만년 전 '루시'의 복원 인골

–
330만년 전 세살배기
'셀람'의 복원 원인

180만 년 전 인류는 커진 두뇌와 석기를 사용하며 아프리카를 떠나 유라시아 지방으로 처음 이동 했다. 각지로 나아간 인류는 40만 년 전에는 유럽에 '호모 네안데르탈(Homo Neandertalensis)'이라는 새로운 종을 탄생시킨다. 10~30만 년 전 나타난 200종에 이르는 영장 목의 한 종인 현생 인류의 시원, '호모 사피엔스(Homo Sapiens)'는 지금의 인간과 비교하여 얼굴, 턱은 컸으나 뇌의 크기가 같으며 앞을 향한 높고 둥근 해골 형태 또한 같은데, 16만 년 전 '이달투'(Idaltu)가 이에 해당한다. 최초의 현생 인류 호모 사피엔스의 조상 '이브'(Eve 17만 년 전)의 모습은 박물관에 보이지 않는다.

이와 같이 현생 인류의 직계조상은 약 10만 여년 전에 아프리카에서 갑자기 출현하였고, 5만 년 전 네안데르탈인 등 모든 고생 인류의 멸종 이후에 유일한 인간의 종으로 남았다는 "현생 인류의 아프리카 기원설"이 학계의 주류를 이루었다.

인류의 시원을 밝혀줄 원시 인골화석이 에티오피아 북동부 다나킬(Danakil) 저지대가 있는 아파르(Afar) 지역에서 집중적으로 발견되는 이유는, 3000만 년 전 에티오피아의 지층이 균열되며 용암이 분출되면서 이루어진 '동아프리카 대지구대(Great Rift Valley)'가 레바논 베카 계곡에서 시작하여 홍해, 에티오피아를 거쳐 모잠비크 까지 남북으로 6,400km에 걸쳐 형성되면서, 1000만년 동안 거대한 화석 지질 구조로 동식물 화석을 온전히 보존할 수 있었기 때문이다.

탄자니아 응고롱고로 국립공원(Ngorongoro National Park)내 올두바이 협곡(Olduvai Gorge)은 인류의 요람이자 지구의 역사가

원시인류와 최초석기가 발견된 올두바이 협곡

360만년 전 오스트랄로 피테쿠스 아파렌시스의 발자국

다 들어 있는 박물관으로 1987년 세계문화유산으로 등재되었다. 1959년에는 180만 년 전의 오스트랄로피테쿠스의 뼈가, 1978년에는 360만 년 전 오스트랄로피테쿠스 아파렌시스의 발자국이 24m에 걸쳐 발견 되었다. 초기석기시대의 인골과 풍부한 동물 화석 그리고 260만 년 전 인류 최초의 도구 등 선사시대의 석기문화를 볼 수 있는데 이곳 또한 '동아프리카 대지구대'에 속한다.

올두바이 협곡 위에 세워진 박물관에서 인류사를 점검하고 거대한 협곡을 바라보며 그곳에서 발굴된 인류의 화석이 나온 지층도 확인해 본다. 멀리서 바라보는데 그치지 않고 협곡으로 직접 내려가 최초의 화석이 발굴된 현장도 직접 탐방해 보았다. 아직도 이 주변에서는 발굴이 진행되고 있다.

그 동안 인류학자들은 원시인류 오스트랄로피테쿠스가 260만 년 전 탄자니아 올두바이 계곡 등 아프리카 동부 지역에서 도구, '올도완' 석기를 처음 만들면서, 이후 이 도구가 천천히 퍼져 아프리카 전 지역과 유럽, 아시아 등 전 세계로 전파되었다는 것을 기존 정설로 받아 들였다.

그런데 최근, 도구 사용이 전파된 게 아니라 여러 곳에서 비슷한 시기에 동시다발적으로 쓰였을 가능성을 보여주는 증거가 발견됐다. 스페인 국립인류진화연구소는 2018년 아프리카 북부에 위치한 알제리 '아인 부셰리트' 지역에서 구석기 제작 양식 중 하나인 올도완 방식의 석기를 발견하였다. 올도완 석기는 큰 돌의 가장자리를 다른 돌로 내리쳐 박편을 떼어내는 방식으로 큰 돌에 날을 낸 인류 최초의 석기 문화다.

함께 묻힌 동물 화석에 축적된 방사선 영향을 측정하고, 지층에 새겨진 지구 자기장의 변화를 읽어 석기가 발견된 지층의 연대를 추적한 결과, 최소 190만~240만 년 전에 만들어졌다는 사실을 발견했다. 지금까지 아프리카 북부에서 발견된 올도완 석기는 180만 년 전에 만들어진 것이 가장 오래됐는데, 그 연대를 최대 60만 년 앞당긴 것이다.

특히 연구팀은 올도완 문화가 처음 생겨난 아프리카 동부와, 수천km 떨어진 북부의 도구 연대 차이가 20만 년에 불과하다는 데 주목했다. 그것은 동아프리카에서 발생한 석기가 대단히 빠른 시기에 북부 아프리카에 전파됐거나 혹은 북부아프리카와 동아프리카에서 거의 비슷한 시기에 각기 따로 도구를 탄생시켰다는 의미였기 때문이다.

－
동아프리카 올두바이의 260만 년 전 인류최초 올드완 석기

동아프리카에서 발견되지 않는 타원체 모양의 도구가 북아프리카에서 여럿 발견되었다는 점도 전파설에 의문을 갖게 한다. 동물 화석에는 날카로운 돌로 그은 V자 모양의 홈이 파여 있었다. 돌망치로 뼈를 내려쳐 골수를 빼 먹거나, 날카로운 도구를 칼처럼 써서 뼈에 붙은 살을 발라 먹은 흔적으로서, 당시 인류가 그저 육식동물이 먹다 남긴 찌꺼기만 먹고 살았다는 기존 가설을 수정하며 직접 사냥을 했을 가능성을 보여준다. 약 320만 년 전 동아프리카에 살던 오스트랄로피테쿠스가 3000km 떨어진 사하라 사막을 가로질러 북아프리카로 왔고, 그 후손이 석기를 만들었던 것으로 보면서 이 인류의 정체를 밝히는 것이 과제로 떠올랐다.

프랑스 국립자연사박물관은 2010년 필리핀 루손섬 칼라오 동굴에서 5만~6만7천 년 전 살았던 지금까지 볼 수 없던 복합적인 특성을 지난 '호모 루소넨시스(Homo Luzonensis)' 의 뼈화석을 발굴하였다. 이는 인류의 최초 조상인 '오스트랄로피테쿠스'와 현생 인류인 '호모 사피엔스'에 가까운 생물학적 특성을 함께 지닌, 원시 인류와 현생 인류의 특징이 동시에 엿보이는 존재이다. 즉 지금까지 알려진 인류 조상의 계보에 속하지 않는 새로운 종이라는 점에서 주목받고 있다.

호모 루소넨시스는 200만 년 전 아프리카를 떠나온 호모 에렉투스의 후예라고 추정된다. 5만 년 전 자취를 감춘 121cm 이하의 작은 키이지만 꼿꼿하게 서서 걷는 것이 특징인 원시인류 '호모 루소넨시스'의 치아는 비교적 단순하고 크기가 작아 호모 사피엔스와 비슷하지만 진화 과정에서 작아진 것으로 추정되며, 2004년 발견된 인도네시아 지역에서 활동시기와 영역이 겹치던 '호모 플로렌시엔시스'(호빗)와도 흡사하다 (파생적 특성).

반면에 굵고 휘어진 발가락뼈는 나무를 타고 오르면서 생활했다는 점을 가리키는데, 이는 오히려 200만~300만 년 전 아프리카에 살았던 오스트랄로피테쿠스의 해부학적 특성과 가까웠다 (복원적 특성). 하나의 종 안에 약200만~300만년의 차이가 나는 인류의 특성이 모두 담겨 있는 것이다 (비(非)동시성의 동시성 이라 할 수 있는 이른바 모자이크 특성).

　이러한 모자이크 특성의 발견으로 인류 진화의 '정설'에 의문이 제기 되었다. 기존의 지배적 학설은 인류는 아프리카에서 태어난 오스트랄로피테쿠스가 호모 에렉투스 · 호모 사피엔스 등의 다양한 종으로 진화하는 단선적 과정을 거쳤으며, 그 가운데 신체가 현생 인류만큼이나 강건하게 발달하고 두뇌도 현생 인류의 3분의 2 수준으로 커진 호모 에렉투스가 약 200만 년 전에 아프리카 밖으로 처음 진출해 유라시아 전역으로 퍼졌다는 것이다. 그런데 이 발견은 여기에 포함되지 않는 전혀 다른 유형의 고대 인류도 있었음을 보여주고 있다.

　터키 북부 조지아 드마니시 지역의 180만 년 전 지층에서 작은 인류 화석이, 인도네시아 플로레스 섬의 5만 년 전 지층에서 '플로레스인(호모 플로레시엔시스. 일명 호빗)' 화석이 발견되었는데 이들 모두 오스트랄로피테쿠스와 가까운 신체 특성으로 오스트랄로피테쿠스로부터 직접 진화한 후속이라고 해석할 수도 있는 여지를 남겼다. 2010년 시베리아에서 처음 발굴된 '데니소바인'도 당시 동남아시아까지 진출해 있었던 것으로 알려졌다. 지구 반대편 유럽에는 '네안데르탈인'도 아직 살아 있었다.

유라시아 지역에 현생 인류(호모 사피엔스)가 살던 시기에 이미, 기존의 생각보다 더 다양한 인류가 공존했다는 사실이 밝혀졌다. 과학자들은 과거 여러 원시 인류가 공존하면서 피가 섞였다고 본다. 실제로 오늘날 인류의 DNA에는 4만 년 전 멸종한 네안데르탈인의 DNA가 발견된다. 티베트인과 파푸아뉴기니인의 유전자에는 데니소바인의 흔적도 나왔다. 앞으로 '플로레시엔시스' 나 '루소넨시스' 의 유전자가 현생 인류에서 발견될 가능성도 있는 것이다.

독일 막스플랑크연구소는 2012년 러시아 시베리아의 알타이산맥에 위치한 데니소바 동굴에서 손가락만 한 뼛조각만 남은 13세 어린 소녀의 5만 년 된 주검을 발굴해 DNA를 해독하였다. 그 결과 유럽을 중심한 '네안데르탈인' 어머니와 비슷한 시기 아시아 대륙에 살았던 '데니소바인' 아버지의 유전자가 거의 같은 비율로 섞여 있음에 따라 부모가 서로 다른 종이라는 게놈을 처음으로 발견하였다.

이로써 당시 인류 사이의 〈이종교배〉가 보편적이었을 가능성이 제기되었다. 고고학적 연구에 따르면 아프리카에서 처음 등장한 선행인류였던 호모 에렉투스(Homo Erectus)는 200만 년 전에 아프리카를 떠났고, 20만 년 전에 동아프리카에 나타난 현생인류 역시 약 10만 년 전 아프리카를 떠나, 6만 년 전에는 아시아 전역으로 확산되었다.

레반트 통로와 아프리카의 뿔을 통하여 중동을 거쳐 유럽과 아시아로 뻗어나가 5만 년 전 무렵 동남아시아와 호주에 정착했다. 2만 년 전 빙하기말 아시아와 아메리카대륙을 연결하는 통로를 통하여 1만 5천 년 전에 아시아의 사냥꾼들이 북아메리카로 건너갔으며 이들은 다음 1,000년이 지나기도 전에 남아메리카의 끝에 이르렀을 것이다.

이러한 발견들이 이어지면서 나온 "현생 인류의 다지역 기원설"은 약 200만 년 전 아프리카를 떠나 유럽과 아시아 여러 지역으로 흩어진 호모 에렉투스가 독자적으로 진화하였다는 것이 골자이다. 그럼에도 미토콘드리아DNA 분석 결과는 "현생 인류의 아프리카 기원설"에 무게를 실어준다. 앞으로도 현생 인류의 기원에 대해서는 더 많은 숙제와 연구를 과제로 남겨두고 있다.

용암호수에서는 마치 모든 대지를 삼킬 듯 갈라지고
끓어오르기를 반복하며 생겨나고 사라지는
탄생과 죽음의 찬미와 부활의 신화가 순식간에 이어진다.

–

실제 체험해 본 다나킬은 다양한 얼굴을 조화롭게
공존하며 큰 감동과 진한 추억을 남겨주었다.

02

지구의 아궁이 '다나킬'

지구의 아궁이 '다나킬'

세계에서 가장 뜨거운
대자연의 유혹

에티오피아 다나킬은 세계에서 가장 열악한 저지구대 중 하나로 '지구의 아궁이'로 불리는 동아프리카 대지구대의 심장이다. 해수면 보다 100m 아래에 위치한 섭씨 50도가 넘는 곳, "다나킬 저지대"(Danakil Depression) 탐방은 대지의 경이로움 그 자체였다.

다나킬은 세계에서 가장 뜨거운 장소로 알려져 있다. 아프리카 대륙에서 가장 낮은 곳에 위치하는 메마르고 황량하고 척박한 땅으로, 지구에서 사람이 거주하기 가장 힘든 지역 중 하나이다. 따라서 이곳 여행 일정 또한 여름에는 불가능하고 냉 건기 10-1월 중 12-1월을 가장 선호한다.

중국 최고의 포도 명산지로서 서유기 손오공의 무대인 '화염산'이 바로 연상되는 '투루판 분지' 또한 해수면 보다 60~80m 낮은 오아시스(최저 아이딩 호수 -154m)에서 뿜어대는 40도 넘는 혹서로, 다나킬(최저 코바르싱크 -116m)의 폭염 못지않은 저지대 이다.

이 지역에 거주하는 아파르족은 1930년대만 하더라도 사람을 죽

여보지 않은 사람은 남자 취급을 받지 못했을 정도로 냉담하고 가학적이며 호전적인 부족이었다. 또한 국경분쟁 중인 '에리트레아'와 접하고 있어 이곳 여정은 사전에 믿을만한 여행사를 통하는 것이 안전상 꼭 필요하다.

—
다나킬 저지대

소금 사막

지구 탄생의 비밀과 경이로운 풍광을 찾아, 살아 있는 역사가 펼쳐 지는 대자연의 유혹에 빠져들기 위해 첫발을 내디딘 곳은 소금호수 였다. 인구 500명 규모의 '하메드 엘라'(Hamed Ela) 마을의 식당에 서 점심식사를 하며 여행 허가를 별도로 받아서 늦은 오후에야 소금 지대에 도착했다. 단단하고 날카로우며 하얗게 비치는 바닥 위로 소 금 꽃이 피었다가 하나 둘 내려앉는 곳이다.

남미 볼리비아 '우유니' 소금사막은 여름에 비가 오면 복사뼈에 닿 을 만큼 찰랑거리는 빗물로 사막 전체가 세상에서 가장 큰 거울로 변 모하면서 하늘과 사람이 투영되어 그 아름다움이 한 폭의 그림으로 환상적인 풍경을 자아낸다.
필자가 갔을 때는 유감스럽게도 남미 계절로 겨울 건기라 비 없는 하 아얀 마른 소금호수 위에서 가도 가도 끝이 안 보이는 광활한 소금대 지 풍광을 즐기며 밤하늘을 수놓은 총총한 선명한 별 구경으로 만족 하여야 했다.

이곳 다나킬 소금호수는 언제나 물이 찰랑거리면서 보여주는 석양 의 감미로움을 만끽함으로서 지난번 우유니 소금호수에서 보지 못한 물과 하늘과 사람의, 천지인의 오묘한 조화를 마음껏 감상하게 함으

-
소금꽃 핀 다나킬 소금 호수

-
남미 우유니 소금 사막

로 지난 우유니에서의 아쉬움을 달래 보는 대리 만족을 맛본다.

우유니 소금호수는 주변 산맥에서 유입된 미네랄이 소금 결정체를 빨리 만들게 해 주어 계속되는 소금 채취에도 소금 사막은 확대되어 나가고 있다.

더욱이 최근에는 휴대폰, 노트북, 전기차 등의 첨단 전자제품의 전지에 들어가는 '리튬'이 미래의 희소 자원으로 세계적 주목을 받고 있는 데, 전세계의 절반이나 되는 540만 톤이 매장되어있다, 그것도 채굴 경제성면에서는 세계 최고 수준의 광산으로 각광 받고 있으며, 현재 중국이 채굴에 참여하고 있다.

다나킬 저지대에도 미네랄 뿐 만 아니라 알칼리 금속의 일종인 '포타슘' 이 발견되어 캐나다가 채굴을 서두르고 있다.

다나킬 소금호수는 남미 볼리비아 우유니 소금사막 12,000평방km 와는 비교가 되지 않는 1/10 규모의 1,200평방km 의 풍광이지만 아프리카를 대표하는 소금지대이다.

뉘엿뉘엿 검붉어지는 석양을 바라보며 하메드 엘라(Hamed Ela) 마을로 돌아왔다. 들판에서 나무 프레임에 깔린 매트리스에다 가져온 슬리핑백을 펴니 더 없이 훌륭한 잠자리가 되었다. 더구나 해가 지며 선선한 날씨까지 가세하니, 하늘과 별을 보면서 잠을 청하는 멋지고 낭만적인 야영을 모처럼 즐길 수 있었다.

달롤 유황 화산지대

다음날 소금지대를 지나 저 멀리 뭉게뭉게 피어오르는 연기를 바라보며 세계 화산 중에서 가장 해발 고도가 낮은 -116m 분화구를 품고 있는 지상 최고의 향연인 "달롤" (Dallol) 유황 화산지대를 완만히 올랐다. 보기 드물게 화구가 평지로 되어 있는 거대한 화산지대로, 1929년 폭발을 마지막으로 현재는 분화 조짐을 보이지 않는 활화산이다.

이곳은 폭발 화구로 유황 연못이 많다. 유황꽃이 대지를 수놓은 정원 같은 '달롤' 화산 일대는 알록달록한 바위에 있는 많은 유황 성분으로 '에티오피아의 옐로스톤' 이라고 불린다. 오랜 세월 동안 바닷물이 증발되고 소금과 유황만 남아 분지가 생성 되었으며, 다양한 광석 물질로 형성된 신비로운 연못을 구경할 수 있고 지금까지도 유황 가스가 나오고 있다.

쉼 없이 끓어오르는 뜨거운 유황가스와 소금물 그리고 다양한 광물질의 화학작용으로 소금 결정이 빚어낸 형형색색의 풍광이 펼쳐지는 아름다운 화산은 신이 물감을 칠해 놓은 예술작품이다. 지하에서 다양한 광물질이 올라오면서 수산화철은 초록색, 염화제2철은 노란색, 산화철은 갈색을 띄는 등 다양한 색깔의 연못을 만들어 내고 있다. 화산활동으로 생겨난 지하온천이 1km의 소금 퇴적층을 뚫고 분출되면서 창조해 낸 독특한 지형과 신비스럽기까지 한 아름다운 빛깔

코를 찌르는 유황 가스 지대

을 보고 있자면 마치 외계의 한 행성을 거니는 기분이 든다. 유황가스와 소금이 함께 분화구 곳곳에 달롤 특유의 과자처럼 부서지는 바늘 모양의 소금 크리스탈 결정을 지금도 만들어 내고 있고, 손이 데일 정도의 뜨거운 물이 지하에서 올라오고 있으며 간헐온천도 곳곳에서 볼 수 있다.

가까이 다가가면 유황가스에 순간 정신을 잃을 수도 있어 위험하지만, 그 보다는 유황꽃 정원이 훼손될 수 있으니 스스로 삼가고 자제해야 한다. 하지만 많은 관광객이 각자의 추억 욕심에 안으로 유황꽃 가까이 들어가 사진을 찍으면서 자연 경관을 훼손하고 있었다. 심지어는 가이드까지도 오히려 안쪽으로 들어가라며 전망 포인트를 안내했다. 오히려 필자가 가이드에게 관광객 출입을 통제해서 이 소중한 세계의 유산이자 지구의 보물을 후세 만대까지 보존하고 지켜야 하지 않겠느냐고 묻기도 했다. 하지만 관리 규정이 없다는 답변이 돌아왔을 뿐이었다.

우리나라도 지난 날 겪었던 경험이지만 에티오피아 행정관리, 재정상태, 국민수준이 일정 궤도에 오르기 까지는 상당한 세월이 필요하다는 안타까움이 들었다. 당장은 유네스코를 비롯한 국제민간단체 등 해외에 호소하는 길 밖에는 방법이 없는 듯했다.

노란색 유황빛에 초록색, 흰색으로 색의 조화를 이루며 시각과 후각을 경이롭게 만드는 경험하기 힘든 이색적인 유황 경관을 돌아보면서, 너무도 멋진 자연의 조각품이라는 생각을 했다. 동화 속에서나

나올 법한 '달롤' 유황지대였다. 지구는 멋진 비경과 생의 비밀을 우리에게 내주면서 무궁무진한 이야기를 간직한 채 언젠가 더 멋진 세상을 꿈꾸면서 조용히 꿈틀 대며 살아 숨 쉬고 있는 듯하다.

소금산, 소금온천과 소금광산

　잠시 후에는 멀지 않은 "소금산"(Mt. Salt 해발 -100m)에 도착해 남근 모양의 산을 포함해 갖가지 형태의 소금산과 소금 계곡 같은 낯선 풍광들을 둘러보았다. 기름 소금온천(Oily Salt Hot Spring)인 "아살 호수"(Lake Assal 해발 -130m)에 도착하니, 부글부글 물거품이 올라오는 따뜻하고 기름진 소금물에서 수영하는 관광객도 있다. 거친 소금기의 벌판을 지나서 자그마한 '초록빛 기름 소금 풀'(Oily Salt Pool)에 닿으니 벌써 사람들이 몸을 담구고 있다. 풀 주변이 날카롭고 거칠어 주의해야 한다.

　"라가드"(Ragad)를 출발해 홍해 바닷물이 반복적으로 들어와 증발하면서 형성된 노천 소금사막 광산에 바로 도착했다. 천년 이상 소금 교역을 해온 카라반은 일을 체계적으로 분담하여, 우선 소금광산 가는 길목 '하메드 알라' 마을에 모였다 새벽에 광산으로 가서 오전 중에 작업을 끝낸다. 태양열과 지열로 낮 기온 섭씨 46도를 웃도는 살인적 더위와의 싸움은 정오 이후는 너무 뜨거워서 이 곳 다나킬 저지대에 살고 있는 아파르족 조차 일을 못한다.

　먼저 소금을 광산 바닥에서 10cm 한 층을 떼어내어 도끼로 소금판을 자르고 다시 직사각형 블록(7kg, 30cm x 20cm)으로 일정하게 다듬어 이를 20개씩 묶어 낙타나 조랑말에 실어 메켈레까지 10일간 소금 카라반을 시작한다.

상대적으로 시원한 우기에는 하루 3000명의 카라반이 수천마리의 낙타를 이끄는 끝없는 행렬로 장관을 이룬다. 연평균 35도 한낮 50도에 가까운 더위가 온 대지를 휘감는 지독히도 뜨거운 황량한 소금사막에서, 거친 땅의 자연 그 자체가 현지 아파르족에게는 경외의 대상이자 삶의 전부이기에 그들은 자연이 준 선물 소금으로 지난날에도 그랬듯이 앞으로도 다나킬을 지켜나갈 것이다.

이번 여정에서는 소금 채취 과정이나 여기로 부터 북녘 고원으로 운반하는 카라반 행렬을 유감스럽게도 보지 못했다. 아마도 시즌이 아닌 것 같다. 그러나 이곳을 오기 전에 낙타에 물건을 싣고 '행군'을 하는 무리를 만났기에 소금을 싣고 가는 소금 카라반 행렬이 저런 것이겠구나 하는 생각은 할 수 있었다.

전 세계에 존재하는 소금 카라반은 이제 찾아보기조차 힘들다. 티베트에서 마른 소금호수로부터 소금판을 떠서 말에 실어 '상돌포'를 거쳐 인도 북부로 송출하는 소금 카라반, 니제르 '빌미'에서 아가

데즈를 거쳐 '툼북투'로 이어지는 소금 카라반, 그리고 다나킬 소금 카라반이 전통의 맥을 있는 대표적인 예로 남아 있을 뿐이다.

-
소금블록을 들고있는 아파르족

–
남근 모양 소금산

–
초록빛 기름 소금 풀

–
붉은빛 기름 소금 온천

에르타 알레 활화산

　다나킬 투어의 하이라이트는 언제 터질지 모르는 용암이 끓는 활화산 '에르타 알레'(Erta Ale 613m)이다. 4륜구동차는 하얀 평원을 지나면서 어제 본 긴 소금평야 다리를 왼쪽으로 꾸준히 달리다 흰색이 아닌 흙빛 길로 접어들었다. 차는 잘 정비된 포장도로를 달려 광야를 질주한다. 황량한 벌판에 가끔씩 보이는 관목 이외에는 어떤 푸르름도 없는 황야를 달려서, 목적지인 '에르타 알레' 활화산으로 가기 위한 전진기지 '아발라'(Abaala) 마을에 닿았다.

다음날 80km 떨어진 도담(Dodom)의 '아스코마'(Askoma 해발 150m) 베이스캠프를 향해 차로 6시간을 달려야 했다. 길고 지루한 드라이브 끝에 드디어 황토사막이 사라지고 검은 현무암들이 빽빽하게 널려있는 화산지대를 지나 아스코마(Askoma)에 도착한다. 비록 거친 자연을 관통하는 힘든 드라이브였지만, 변화하는 경치는 볼만했다.

　한낮의 온도가 40도를 넘고 복사열까지 감안하면 50도 가까운 열기 때문에, 다나킬 저지대의 살아있는 심장 "에르타 알레" 트레킹은 해가 저문 밤부터 시작한다. 겨울 밤 이라도 30도가 넘기 때문이다. 저녁 식사 후 베이스캠프를 출발하여 각각 10분간 2번 휴식하며 3시간 30분 걸려 밤 11:10에 6km 떨어진 해발 613m 에르타 알레의

-
황야 사막을 질주하는 4륜구동

-
아스코마 베이스캠프의 저녁 노을

정상 숙영지에 올랐다. 이곳은 왕성한 화산활동으로 인해 연평균 기온이 34도 최고 기온이 60도 이상으로, 지구상에서 사람이 사는 가장 뜨거운 땅이다.

현재 지형은 만 년 전에 형성된 것으로 여겨지며 평원에 있는 활화산들 중 에르타 알레 산이 가장 활동적인 화산이다. 에르타 알레에는 두 개의 용암호가 있는데, 북쪽에 있는 것은 매우 큰 휴화산 호수이고, 남쪽에 있는 것은 작은 타원형에 중간에 구덩이가 있는 세계에서 단 하나뿐인 영구적인 용암 호수이다. 이곳에는 다른 행성에서 온 것처럼 신기한 모습의 염수호와 유황으로 만들어진 형성물도 있다.

바로 거대한 화산 분화구(Crest)를 향해 가파른 길을 10분간 내려가서 끓어오르는 용암이 출렁거리는 호수로 천천히 다가가는데 유황가스 냄새가 진동하여 때로는 순간 숨쉬기가 힘들 정도였다.

분화구 바로 아래 시뻘건 용암이 끓으면서 솟구쳐 오르는 붉은 빛에 약간의 주황색을 띠는 화려하면서도 격렬한 모습이 몹시 인상적이다. 칼데라의 가장자리로 올라 그 안에서 동요하는 바다의 표면처럼 파도 소리를 내며 부글부글 끓고 있는 용암 호수를 바라보고 있으니, 금방이라도 세상을 삼켜 버릴 것 같은 기세가 두렵기 까지 하다.

그러다 거품이 펑 터지며 검붉은 용암이 하늘로 치솟았다. 몇 분 간격으로 같은 일이 반복됐고, 얼마 지나지 않아 용암이 떨어진 자리에는 새카만 돌이 남아 있었다. 오른쪽으로 분화구를 조금 돌아서니 용암 끓는 모습 보다는 그 소리가 더 잘 들리는 듯하다.

뜨겁게 용솟음치던 용암호수가 어느덧 잠잠해지는데, 지구 내부에서 끓어오르던 용암의 표면이 바깥의 차가운 공기와 맞닿아 식으면서 굳어 딱딱해져 마치 지각처럼 껍질 형태로 용암을 뒤덮고 있는 것이다.

그렇게 타원형의 분화구 안에서 뜨겁게 솟아오르는 새로운 용암덩어리가 역동적으로 새빨간 맨얼굴을 드러내며 호수를 휘저으며 무시무시한 모습으로 변하면서 녹아 용암호수 아래로 흘러들어가 순환하게 된다.

다시금 용암호수를 차분히 내려다보며 찬찬히 마음과 눈귀를 열어 본다. 끓어오르다 퍽 하고 터지고 출렁이다 붉은 쇳물을 토해 내며 땅 밑으로 빨려 들어가면서, 마치 모든 대지를 삼킬 듯 갈라지고 끓어오르기를 반복하며 생겨나고 사라지는 탄생과 죽음의 찬미와 부활의 신화가 순식간에 이어진다.

특히 '악마의 입'으로 불리는 오른편 가장자리는 쉬지 않고 붉은 액체를 뿜어낸다. 생기는 것과 사라지는 것이 동시에 이루어지는 분화구 속 세상, 생과 사의 공존이 절묘한 균형을 이루는 용암호수를 바라보며 열기와 냄새에 싸여 운명을 하늘에 맡기고 잠시나마 마음을 다잡아 본다.

아프리카 용암호수 중에서도 가장 크고 가장 강렬하며 100년간을 살아 버텨 오면서 끓는 용암호수를 가진 활화산 '에르타 알레(Erta Ale)'는 현지에서 '연기 나는 산' 또는 '지옥으로 가는 관문'으로 불리었다. 용암호수를 지옥의 불구덩이에 비유하고 분출되는 용암과 가스는 두려움의 대상이었으며, 지구 내부를 들여다 볼 수 있는 통로이기도 하다.

2017년에도 분출된 바 있고 언제라도 터질지 모르는 기저(Base) 직경이 30km에 달하는 순상 활화산(Shield Volcano)이다. 5억5천만 년 전 태초의 대지가 아프리카에 태어났고, 이 대지의 표면이 식기까지 다시 400만 년이 걸렸다. 700만 년 전 동아프리카 대지구대의 지각변동으로 형성된 가장 오래된 용암호수로서 지금까지도 이렇게 살아 꿈틀거리고 있다. 한때 바다였으나 뜨거운 암석이 녹은 용암이 호수처럼 된 분화구는 세계에서 4개뿐으로, 용암온도 섭씨 1100도의 어마어마한 열기가 전해지는 뜨거운 공간이다. 먼 옛날 지구가 생기며 지형을 형성할 때의 지구 모습이 이런 풍경이 아니었을까 하는 상상을 해보았다.

잠시 더 분화구 위에서 자연이 가져다 준 끓는 용암의 신비를 지켜보다가, 돌로 담을 둥글게 쌓은 울타리 안의 숙영지로 돌아와, 낙타가 운반해 준 슬리핑백과 매트리스로 마련한 잠자리에 들면서, 하늘을 지붕 삼아 별과 벗하면서 다나킬의 잊지 못할 마지막 밤을 보냈다.

베이스캠프부터 동행한 무장경찰 3명은 국경이 인접한 에리트레아(Eritrea)와의 뜻하지 않은 사고뿐 만 아니라, 현지 촌락민 아파르족과 외지 여행객간의 불의의 충돌 사태에 대비하여 치안 목적으로 함께 하는 것이다. '에리트레아'는 30년간의 독립운동 끝에 1993년 4월 주민투표에 의해 독립한 세계 최빈국 중의 하나다. 이로서 에티오피아는 소말리아, 지부티, 에리트레아에 둘러싸여 내륙국이 되었다.

새벽에 일어나 다시 분화구를 찾으니, 어제 밤 보고 들었던 붉은 용암의 모습도, 끓는 소리도, 유황 냄새도 사라지고 연기만 피어 오른다. 분화구 주변에 흘러내린 용암이 한 폭의 그림처럼 장관을 이룬다. 용암이 흐른 자국에는 용암 안의 가스 성분이 빠져나가 안에 생긴 공기구멍으로 인해 생긴 '라바' 라는 가벼운 부석이 독특한 풍광을 이룬다. 용암이 흘러나온 그대로 굳어 있는 모습과 채 굳지 않은

-
에르타 알레에서 맞이하는 해돋이

-
연기만 피어오르는 새벽 분화구

-
용암이 흘러내린 자국

용암덩어리가 때론 진흙 반죽처럼, 때론 물결처럼 흘러내리는 모습이 신기하다. 빈번한 화산 폭발은 이 땅에 다양한 지형이라는 천혜의 선물을 만들어 준다.

끓어오르는 용암호수를 가진 '에르타 알레(Erta Ale)' 활화산을 보면서 이 거대한 지구의 맨살 위에 서 있는 인간이 자연 앞에 한없이 작고 미약한 존재일 뿐이라는 생각이 엄습해 온다. 가슴을 두근거리게 뛰게 하는 역동적이고 감동적인 아름다운 자연의 현상을 보면서, 위대한 자연의 힘 앞에 저절로 고개가 숙여지며 신비한 자연의 창조주에게 다시금 경외심을 갖게 되었다. 흐린 날씨로 지평선에서 솟구치는 아프리카 일출을 분화구에서 바로 보지는 못했으나 하늘을 검붉게, 붉게, 주홍에서, 주황으로 물들이며 천지를 서서히 밝혀주는 경이로운 해돋이 장관을 맛본 행운은 길이길이 추억에 남을 것이다.

아프데라 소금 담수온천호수

용암이 쓸고 나간 자국이 선명히 남아있는 암반 군을 바라보면서 하산하는데, 해발 420m에서 낙타 먹이풀의 일종인 '아마이 톨리'와 방목중인 낙타가 눈에 들어온다. 베이스캠프에 도착해 늦은 아침식사를 하고, 담수 온천이 함께 있는 소금 호수 "아프데라"(Lake Afdera 해발 -102m)로 가서 수영과 휴식으로 하루를 마무리 한 후, 250km를 달려 메켈레로 돌아왔다. 그렇게 4일간에 걸친 다나킬 저지대 여정을 마쳤다.

다나킬 저지대는 지구상에서 가장 혹독한 자연환경을 가진 지역이자 가장 매력적인 화산지대였다. 그래서 일까? 다나킬에 가보고자 했던 여정의 유혹은 강력했다. 그리고 실제 체험해 본 다나킬은 다양한 얼굴을 조화롭게 공존하며 큰 감동과 진한 추억을 남겨주었다.

-
아프데라 소금 호수

03

원시부족공동체의 도전

원시와 현대가 공존하는 오모 밸리 부족

　우리는 흔히 아프리카 하면 화려하게 치장한 채 황혼이 지는 들판에 서 있는 원주민의 모습을 떠올린다. 인류의 기원을 찾을 수 있는 땅 에티오피아의 남서부 아조라 폭포에서 발원한 640km에 이르는 오모(Omo)강은 토착 원주민의 젖줄이다. 강의 주기적인 범람은 농사에 적합한 환경을 조성하여 그 연안은 지금도 아프리카 전통을 지키며 살아가는 원시 부족을 만날 수 있는 지구상에 얼마 남지 않은 곳 중 하나이다.

　강 계곡을 따라 남북으로 살고 있는 소수 부족들을 오모 밸리 부족(Omo Valley Tribes)이라고 통칭해서 부르는데 1974년 영국 인류학자에 의해 처음으로 세상에 알려졌다. 분지 형태의 깊고 차단된 원시적 자연 환경은 원주민을 외부로부터 고립시켜 고유한 전통과 문화 그리고 생활 모습까지도 그대로 보존하면서 12개 원시부족 25만 명이 인류 초기의 원시공동체를 유지하며 전통적 삶을 살아가고 있다. 오모 밸리로 가기 위해서는 일단 징카(Jinka)라는 도시로 가야 하는데, 아디스아바바에서 비행기로 한 시간 정도 걸린다.

현지 부족들과 숙식을 함께 하며 인류 초기 원시공동체의 발자취를 더듬어 보면서, 최초의 공산사회로서 공동소유, 공동생산, 공동분배라는 원시적 질서와 평화를 누려오던 부족공동체에 외부로 부터 자본주의, 시장경제가 유입되고 있음을 볼 수 있었다. 이에 따른 공동공산체제와 경쟁적 개인주의 간의 충돌, 그리고 전통적 가치체계의 혼돈이 눈에 들어왔다.

　　'징카' 공항에서 짐을 찾고 가이드 겸 운전기사를 만나 시내 최고급 식당 '베샤 고조(Besha Gojo Restaurant)'에서 염소고기로 오모 투어 첫 식사를 한 후, 토종 커피를 맛보기 위해 은은하고 그윽한 커피향이 넘치는 현지의 전통 커피 집으로 향했다.

　　세계 커피의 원산지답게 '여유와 낭만의 대명사' 커피는 여자 마스터(바리스타)에 의해 일련의 세리머니를 거친다. 우선 수확한 커피 열매는 깨끗이 씻어 햇볕에 말린 후 후라이팬에 생두가 탈 때까지 단순히 볶으면(로우스팅) '갈색황금'이 되어 나온다. 갈색황금빛 원두를 빻고 끓이는 보통 1시간이 소요되는 일종의 정화의식을 거치면서 3잔의 커피가 나오는데, 그 중 2잔은 우정을 1잔은 축복을 기원한다. 이러한 커피대접은 식사 후나 귀한 손님 접대 또는 행사시에 커피의식을 통해 이루어지며, 커피를 마시고 대화하면서 1-2시간을 즐긴다.

　　커피의 발상지답게 에티오피아의 커피 생산은 세계에서 다섯 번째, 아프리카에서는 최대 수준이다. 2018년 커피 수출은 22만t, 815백

－
로스팅하는 갈색황금 원두

－
원두를 끓이는 토기주전자 '제베나'

만USD로서 총수출 2,666백만USD의 30%를 넘는 수출1위 품목이
다. 아프리카 최빈국(1인당 GDP $934)임에도 그들의 커피 사랑은
유별나서 총생산량의 절반 이상을 국내에서 소비한다. 스페셜티를
비롯한 1, 2등급 커피는 전량 수출되고, 이에 미치지 못하는 커피가
국내에서 거래되는데 아디스아바바의 '아디스 마르카토'가 최대 커
피시장이다.

　남서부에 위치한 '카파(Kaffa)'는 BC 3세기 아라비카 커피가 처음
발견된 커피의 고향으로서, 커피는 9-10세기 홍해를 거쳐 예멘에 전
달되어 아랍 상인의 손을 거쳐 유럽을 비롯한 각지로 반출되다 보니
아라비아를 원산지로 하는 '아라비안 커피'로 널리 알려지게 되었고,
중남미에는 18세기 초 대서양을 거쳐 건너가서 브라질, 콜럼비아가
오늘날 세계 1, 2위 생산국이 되었다.

커피 맛을 결정하는 요소는 품종(Variety)과 지역(Terroir)이다. 에티오피아가 원산지인 아라비카(Arabica), 콩고의 로부스타(Robusta), 라이베리아의 라이베리카(Liberica)가 주요 품종인데, 고산지대에서 생산되는 아라비카가 다른 품종에 비해 향과 맛이 뛰어나고 가격도 비싸서 스페셜티 커피시장의 거의 대부분을 차지하다 보니 에티오피아는 원산지 종주국으로 아라비카 커피만을 재배하게 되었다.

적도 고원에 위치한 에티오피아에서도 고도 1500m 이상 지대가 생산에 적합한 환경으로, 그 중에서도 아디스아바바에서 440km 떨어진 남부 중앙에 자리한 '예가체프(Yergacheffe 커피의 귀부인)'를 중심으로 해발 1770m~2000m의 고지대는 짙은 초콜릿 아로마향에 새콤한 신맛이 도는 아라비카 커피가 재배되는 본고장이다. 야생이나 유기농법으로 재배한 빨간 커피 열매는 규칙적인 썰레질로 세척 과정을 거쳐 열매 껍질을 벗긴 생두로 분리되어 일주일간 골고루 햇볕에 말린 후 10여 분간 로우스팅 하면 향긋한 과일 맛 나는 원두가 되어 나온다. 원두를 나무절구에 곱게 빻아서 향과 신맛을 더하기 위해 약간의 소금을 넣어 '제베나' 라는 토기 주전자로 끓여 나오는 커피는, 이제 에티오피아의 문화의식으로 자리 잡고 있다.

원시 부족들 삶의 현장을 찾아 가는 도중 오르막이 끝나는 어느 도로에 별안간 긴 나무다리에 온 몸을 분장한 벌거벗은 소년들이 길을 막으며 나타나는데 오모 계곡(Omo Valley)에서 만나는 첫 원주민이

-
긴 나무다리에 몸분장한 소년들

라는 호기심에 사진을 찍었다. 그런데 카메라의 셔터 소리가 울리는 순간 그들은 포즈를 풀고 다가와 손을 내밀었다. 돈을 달라는 뜻이었다. (1컷 비르 5, 한화 200원). 사진에 나온 사람 숫자대로 돈을 지불해야 한다고 하였다. 그들은 내게 자신의 얼굴과 시간, 포즈를 기꺼이 제공했고 나는 그들에게 대가를 지불했으니, 분명 정당한 거래이긴 했다. 하지만 나는 사진을 찍으면 대가를 지불해야 하는지도 몰랐기 때문에 가이드의 중재가 없었다면 자칫 서로 기분이 상할 수도 있는 상황이었다.

알두바 시장

'알두바(Alduba)'에 있는 매주 화요일 열리는 '반나(Banna)-체마이(Tsemay) 시장'은 오모 계곡 최대 규모 시장으로서 노천 벼룩시장 형태로 개장 시간은 11:00-4:00로 늦은 오전에 열고 오후 중반이면 닫는다. 반나, 체마이 부족이 보통 4-5 시간을 걸어와 부족 내 또는 부족 간 교역과 소통을 하기 때문에 그들이 도착하고 돌아가는 일정을 감안해 짜여 진 시장 개장 시간이다. 이곳은 마치 우리네 시골 5일장과 같다.

시장은 생동감 넘치는 공간이다. 옥수수 같은 곡물을 비롯한 생필품 이외에도 오모 부족의 나무 조각 토산품이 관광객을 위해 준비되어 있어 각 부족의 생활상을 한눈에 읽을 수 있었다. 각종 토산품은 부족들이 직영하는 형태가 아니라 장을 구경하려는 관광객을 위해 상인들이 판매하는 것이어서 가격이 저렴하지 않다. 그래도 부족민들이 손으로 만든 각종 장식품을 통해 그들의 문화를 이해하는데 도움이 되었다.

체마이 부족이 몰려 앉아 술 마시고 이야기 나누는 장소로 다가가 사진을 찍으려 하니 몇몇 청년들이 손사래를 치며 때로는 적대적인 자세까지 취한다. 알고 보니 대가를 바라고 그러는 것이 아니라 사진을 찍히면 핏속의 정기가 사진으로 빨려들어 간다는 나름의 믿음에서 그러한 거부 행태를 보인다 한다.

그들의 모습 속에서 나의 학창시절이 연상되기도 했다. 1962년 중학 시절, 당시로는 보기 힘든 세계여행가 '김찬삼'씨가 우리 학교에 강연을 와서 "아프리카에서는 흑인들이 사진을 찍으면 영혼을 빼앗긴다며 거부하고 사진기를 뺏는다"고 했던 멘트가 새삼스레 떠올랐다.

반나 부족

알두바 시장을 둘러보고 '반나' 부족 마을로 향했다. 가는 도중 소가 차에 치여 죽는 사고를 만났는데 양방향으로 차량을 모두 통제해 차들을 움직이지 못하게 했다. 사고 운전자에게 무언가 보이지 않는 심적 압박을 주는 것 같았다.

바가지를 모자로 쓰는 반나 족의 촌장 집에 도착해 안내를 받고, 함께 식사도 하고 밤 시간을 보냈다. 옷차림을 전혀 안 갖춘 채 상반신을 그대로 노출시킨 여인들이 맞이한다. 야도(수수)로 담근 맑은 막걸리 비슷한 현지 술을 담은 박통 위를 뚫어 돌려가며 마시는 데, 우리 농가의 농주처럼 영양식 간식 역할을 하는 듯하다.

끓인 팥 국물 같은, 커피와 차의 중간 맛이 나는 '소포로'를 즐겨 마신다. 간혹 소의 피로 영양 보충하는 외에는 별로 영양가를 섭취할 일이 없을 것 같은 건장한 모습들 이고, 다산으로 인한 많은 아이들이 보살핌 없이 스스로 놀고 크는 듯하다.

-
화톳불 앞의 반나 부족

-
박통술을 즐기는 반나 여인

남자들은 가끔 씻고 여자들은 전혀 안 씻으며, 남자들은 놀고 여자들은 계속 움직이는 부족 습성을 가지고 있다. 성인은 물론 어린 소년까지도 허리춤에 단도를 차고 있는 모습이 눈에 띈다. 반나와 하메르(Hammer) 부족은 1,2,3 부인을 목걸이 숫자로 식별하는 데, 쇠목걸이가 무척 무거워 목 디스크에 걸리면 어쩌나 걱정이 들 정도다. 내가 자기 전에 안약을 넣는 것을 보고 한 노인이 다가와 눈이 아프다고 무조건 안약을 넣어 달라 했다. 이 안약은 용도가 다르다고 해도 막무가내라 하는 수 없이 그냥 넣어 줬다. 소가죽을 요로 삼고 하늘을 지붕 삼아 준비한 슬리핑백 속에 들어가 별을 벗하며 오모 밸리 원시부족과 함께 하는 첫 날 밤을 보냈다.

무르시 부족

새벽을 깨우는 닭 울음에 염소의 음매 소리가 더해가는 반나 마을을 떠나 징카로 다시 나와 비포장도로로 접어들어 빼어난 경관으로 도원경이라 불리 우는 '마고(Mago) 국립공원'을 거쳐 40km 떨어진 '무르시(Mursi)' 마을에 도착했다. 입술 원판(Lip Plate) '아발레'로 유명해 '접시족'으로 불리는 7,500명의 무르시 부족은 소가죽만 깔려 있는 손바닥만 한 집 움막에 기거하며, 국립공원 내에서 물을 따라 이동하는 유목민 이다.

여자들은 12세가 되면 입술 아래 구멍을 내 아발레를 끼우고 살아가는데, 나무에서 채취한 오일을 발라 살이 잘 늘어나도록 한다. 처음에는 나무로 만든 원판을 끼우다 나중에 알록달록 장식한 진흙 아발레로 바꿔 끼우는데, 귀 피어싱 하듯 점차 그 크기를 넓혀간다.

그 크기를 아름다움의 척도 삼아 미인으로 여긴다는 부족 풍습으로, 가능한 얇게 넓게 하고 가장자리에 홈을 파서 아랫입술에 잘 끼게 만들며 한 달에 한번 씩 새로 교체한다.

큰 아발레를 끼운 여성일수록 결혼할 때 상대 집안으로부터 더 많은 소를 신랑 지참금으로 받는다. 보통은 지름 12cm이나 지금까지 25cm원판이 가장 컸었다고 한다. 귀에도 아발레를 끼운다.

음식을 준비하거나 먹을 때, 아기를 돌볼 때, 잠잘 때는 원판을 빼도 되는데, 입술 아래로 커다란 구멍이 난 채 살이 늘어져 있다. 현재는 어린 나이에는 아발레를 통제 한다고 한다.

남자는 용맹을 리더쉽으로 여기는 호전적인 전사로서, 끝을 귀두 모양으로 깎은 '동가(Donga)'라는 긴 장대로 결투에서 승리하면 결혼할 상대방에 대한 선택권이 주어진다.

동네 부락에 들어서자 AK소총을 둔 군인이 지켜보는 가운데 얼굴과 몸에는 흰색, 붉은색, 푸른색으로 줄무늬를 그려 넣고 입술에는 원판을 끼운 부족 여인들이 서로 사진 찍히겠다고 너나 할 것 없이 경쟁적으로 나선다(1컷 5비르). 그들의 화려한 치장은 특별한 이유 없이 누구에게 보이고 싶어서가 아니라 스스로 만족하기 위해서 라는 것이다.

아발레를 달고 있는 무르시 여인

동가를 든 몸치장한 남성

아리 부족

　징카로 되돌아 나와 250km 떨어진 하메르(Hammer)마을로 향하는 도중 도로 변에 있는 '아리(Ari)' 족 민가를 둘러보았는데, 12만 명에 달하는 아리 부족은 주로 도시 인근에 자리 잡고 있어 더 이상 원시부족의 면모를 찾아보기 어렵다. 징카를 둘러싸고 거주하면서, 징카 주민의 80%를 점하고 있다.

도시화에 동화된 아리 부족

하메르 부족

'하메르' 부족은 43,000명으로, 15가구 75-100명 규모의 부락을 장자가 승계하는 유목 위주 부족이다. 화려한 장신구를 몸에 두르는 것으로 유명하다. 여성들은 붉은 진흙과 양, 염소의 지방이나 버터로 머리를 염색하여 치장하고, 남자는 귀걸이 숫자로 아내의 수를 나타낸다.

성인 세례를 '소 뛰어넘기(Bull Jumping)' 축제로 하는 것이 특색이다. 모든 남성은 18-19세가 되면 알몸으로 나와 나란히 서있는 소 세 마리 등을 풀 더미가 다 타기 전에 네 번 뛰어 넘어야 '진짜 사나이' 로 인정받고 성인 의례를 통과하여 결혼할 자격을 얻는다. 소는 뛰어넘는 주인공이 원하는 만큼 이어갈 수 있으며 많을수록 용맹함이 배가 된다.

성인식 날 주인공 여성 가족은 행사에 앞서 예의를 갖춰 회초리로 매를 맞는데, 자진해서 내는 영광의 상처는 성인식에서 소 뛰어넘는 주인공을 응원하고 고통을 함께 한다는 의미란다.

매질 의식을 통해 자신들이 주인공 남성을 얼마나 아끼고 사랑하는지를 보여주고 살갗이 터져 피가 흐르는 등과 팔의 상처를 자랑스럽게 여기며 노래하고 춤을 춘다. 에티오피아 정부는 하메르 족에게 매질을 자제하라는 요청을 하지만, 하메르 족은 이를 전통이라며 고수하고 있다.

800비르(한화 3만원)를 주고 염소 한 마리를 사서 부락민과 함께 저녁 식사를 하였다. 염소 가죽을 벗기고 통째로 불에 구운 고기는 일단 나무 위에 매단 채 칼로 썰어 분배한다.

다세네치 부족

　길옆으로 쌓여있는 숯들과 20년 걸려 짓기도 한다는 수많은 커다란 흙기둥 흰개미집을 보면서 케냐와의 집경에 가까운 군 검문소를 거쳐 바로 오모라테(Omorate)에 도착하여 간단한 입경 수속을 마쳤다. 오모 강을 현대 다리를 건너 500명이 사는 다세네치(Dasenech) 마을을 찾아 족장에게 일괄하여 방문 비용(200비르)을 지급하고 1시간을 머물며 마음껏 사진도 찍고 어떤 가옥도 들여다본다. 지난 50년 동안 케냐, 수단에서 쫓겨나 목축과 농경이 가능한 오모 강가로 이주한 86,000명의 다세네치 부족은 기본적으로 유목생활을 하면서, 야도(수수), 소곤, 콩 경작과 오모 강 낚시로 생계를 꾸려 나간다.

　부족은 일부다처제로 화려한 색상의 장신구와 진흙으로 치장하고 있으며, 여자 성년식을 전체부족 단위로 1년에 3번 가진다. 가옥과는 별도의 시원한 전용 공간에서 속을 비운 대형 박통으로 '소포로'를 끓여 즐겨 마시는 그들과 대화의 시간을 가진 뒤 180km 떨어진 '투르미(Turmi)'로 향했다. 가는 도중 운전기사가 길에서 약풀을 사 가지고 한줌씩 먹는데, 잠을 쫓고 피로에 좋다 하여 먹어 보았더니 쓰기만 해서 도로 뱉어버렸다.

-
오모강을 건너는 통나무배
-
근대식 오모강 철교

투르미 시장

투르미에 도착해 상설 매장도 일부 갖춘 매주 목요일 열리는 '하메르-반나 시장'은 고유한 의상을 입은 부족 민속 전시장이다. 시장을 둘러보며 샌들과 망고를 사고, 마른 담배 잎으로 가루를 내어 코로 흡입하는 이색적인 모습도 구경하였다.

지평선이 끝없이 펼쳐지는 아프리카 대평원 황톳길을 달리다가, 도로 정비공사로 흩날리는 흙먼지를 뒤집어쓰고 길 아닌 길로 가다보니 어느덧 냥가톰(Nyangatom) 마을에 도착한다.

오가는 도중 아프리카 사파리에 자주 등장하는 새(weaver bird)집들이 아래로 매달려 있는 커다란 우산 모양을 한 '우산 가시 아카시아 나무(Vachellia Tortilis)'가 인상적이다.

새집을 매단 아카시아 나무

냥가톰 부족

냥가톰 부족은 32,000명으로 이 마을에는 200명이 거주하며 여기서는 사진을 1인 1컷 기준으로 10비르(한화 400원)를 받는다. 어제까지만 해도 물 문제로 인한 이웃 부족과의 충돌로 출입이 통제되었던 냥가톰 (Nyangatom)부족은 뒤늦게 우간다에서 이주하여 여러 부족에 둘러싸이다 보니 생존을 위해 싸우는 용사가 되었다 한다. 역시 유목 부족의 경우는 가축에 없어서는 안 될 물 확보로 인해 인근 부족과의 충돌이 불가피하다 보니, 잦은 싸움으로 용맹한 기질을 갖출 수밖에 없겠다.

차를 부족들 문 앞에 세워두고 들어갔다 나온 사이에 햇빛을 가리

기 위해 자동차 창문을 조금 열고 끼워두었던 목도리 스카프가 사라졌다. 몰려다니는 부족 아이들 소행으로 보이는데 이로 인해 운전사와 부족 가이드 사이에 말다툼이 있었다. 세워 둔 차가 모래에 파묻히는 바람에 마을 주민들이 힘을 합쳐 밀어줘 겨우 빠져 나올 수 있었다.

카로 부족

보디 페인팅(Body Painting)으로 유명한 카로(Karo)부락에 도착하였다. 북쪽은 낭떠러지로 아래로는 오모 강이 흐르고 동서로는 평야지대가 펼쳐지고 있어 남쪽으로만 외부와 연결되는 높은 곳에 위치하고 있어 천혜의 지리를 선점한 덕분에, 이곳이 카로 부족 중에서는 처음으로 자리 잡은 마을이다.

카로족은 원시부족 사이에서 '어부'로 통한다. 오모 강에서 가장 가까운 곳에 마을을 이루고 살면서 민물고기를 잡아먹기 때문이다. 다른 부족들은 강에서 나온 물고기를 먹으면 나쁜 운이 온다고 하여 기피한다. 카로족도 물론 다른 부족처럼 수수나 옥수수 등의 작물을 키우고 가축도 기른다.

떨어지는 석양을 바라보면서, 지금까지의 오모 계곡 여정 중 처음으로 하늘 지붕 아닌 텐트에서 자 본다. 아침부터 벌써 아이들이 낭떠러지에서 강을 내려 보고 공중회전을 하며 서로 솜씨를 자랑하는데 체력 단련에도 도움이 되겠다 싶었다. 카로 족에게도 무르시족의 원판 끼우기와 비슷한 장식이 있는데, 여자들이 턱에 구멍을 뚫고 꽃이나 얇은 나뭇가지를 끼우는 것이다. 아랫니 하나를 빼고 아래턱에 구멍을 뚫어 장식을 하며, 턱은 물론 귀에도 꽃을 꽂는다.

마을을 돌아보니 현란하고 창의성이 돋보이면서도 추상적 초현대적 감각으로 스스로 또는 서로를 그려주고 꾸며주는 분장과 악세사리 몸치장에 바쁜 부족들의 예술적 센스가 놀랍도록 돋보인다. 자신을 치장하는 것이 스스로의 상품가치를 높이는 것인데, 서로 치장해주는 모습이 유쾌해 보인다.

그러한 여인들의 모습을 보며 미학적 관점에서 과연 '아름다움' 이란 무엇인지, 비싸고 알록달록한 화장품을 얼굴에 바른 '문명 세계'의 여성들만 아름다운 것인가 라는 생각이 들었다. 그들 '원시세계'의 모습은 이렇게 말하고 있었다. 아름다움은 자연과 더불어 상대적이라고.

수수를 주식으로 하고 바가지로 소포로를 즐기는 카로 부족은 매년 5월말 열리는 성인식 축제에서 하메르 부족과 같이 '소 뛰어넘기'를 통과해야 남자는 '진짜 사나이'로 결혼할 수 있고 형부터 순서대로 결혼해야 한다.

벌꿀과 수수로 빚은 술과 젊은이의 매력을 최대한 발휘하는 껑충껑충 뛰는 춤을 즐기는 축제에서, 성인식을 앞둔 남자는 춤을 출 수

-
오모 강변의 카로 부족

-
얼굴 치장을 마친 카로 여인

-
보디 페인팅 한 카로 남자

없다. 성인식 날 여자는 회초리로 등에 매질을 당하며 노래하고 춤을 추는데, 자진해서 내는 상처는 성인식 남자와 고통을 함께 한다는 의미란다. 성인식 날 남자에게는 아버지가 목에 염소 내장을 걸어 준다. 결혼을 앞둔 남자는 집을 가질 수 없어 비 속 에서도 밖에서 잠을 자야 한다.

  인근 부족들과 종종 무력 다툼을 하다 보니, 이 마을 100여 가구에 기관총만 4대가 비치되어 있다. 소를 빼앗기도 하는 부족 다툼에 앞서 원로들은 소를 잡아 피를 전사에게 우선적으로 먹이는 피의 축복 자리를 마련하면서 피의 복수를 다짐한다. 농사는 여자의 몫이나 가장 소중한 재산인 소는 남자가 나서서 보호하고 있다.

체마이 부족

투르미(Turmi)를 다시 지나 징카(Jinka)를 거쳐 키 아파르(Key Afar, 붉은 땅)를 통과해 체마이(Tsemay) 부족 마을을 둘러보았는데 여느 부족에 비해 차별되는 특징은 없었다.

콘소 부족

  콘소(Konso) 부락을 가는 도중 목제가면을 파는 노상도 보면서 산꼭대기까지 계단식 밭을 개척하여 농사를 주식으로 하는 1,000명이 사는 '카모레' 마을에 도착하였다. 일찍부터 정착하여 안정된 부락 풍경을 갖춘 곳이다.

  가이드에 의하면 콘소족은 9개의 가문(Family)과 12개의 부락(Community)을 가진 오모밸리 최대 부족이다. UNESCO 세계문화유산으로 지정된 원형태의 돌벽은 850년 전에 만들어져 길이가 3km에 이른다고 한다. 미로 같은 돌담길을 따라 마을의 가장 오래된 나무 아래 모임 장소를 중심으로 하는 마을을 돌아보고, 노인들이 24개 홈이 파인 나무판 위에서 돌들을 이동시키는 체스 같은 놀이도 구경했다.

-
한가로이 체스를 즐기는 콘소 노인들

돌벽과 고목 사이의 모임 공간

다라쉐 부족

   도로 가까이 있는 다라쉐(Darashe) 마을을 들어가지는 않고 바라보면서 길가에서 주민들과 대화를 나누며, 로타리에 있는 다라쉐족이 대표적으로 즐기는 대나무로 만든다는 6기통 팬 플룻(Pan Flute) 콘크리트 형상을 살펴보았다. 도심 근처의 정착생활로 뚜렷한 부족 특성이 없다 하여 마을 입구에서 그냥 지나쳤던 아쉬움을 팬 플룻으로 달래본다. 길가의 나무 가지 위에 걸쳐 뉘여서 때로는 그냥 매달아 놓은 특이한 형태의 벌통들이 눈에 띈다.

-
콘크리트로 만든 다라쉐 족의 팬 플룻 형상

-
나무가지 위의 벌통

도르제 부족

아르바 민치(Arba Minch)에서 50km 떨어진 해발 2,700m 구름 위 고지대에 자리 잡고 있는 도르제(Dorze)마을의 집은 일반적으로 대나무 잎으로 지어 방수 처리 하고 집안에 소를 들이는 독특한 양식의 코끼리 형상을 본뜬 형태이다.

도르제 부족은 일부일처제이고 고유의 현악기를 즐겨 연주하며 옷도 짜고 그릇도 구워 만들어 자급자족하면서 팔기도 하는 공동체 마을이다. 95% 주민이 에티오피아 정교회 신도인 마을에서 엔셋(Ensete 가짜 바나나) 줄기로 부터 녹말을 채취하여 땅속에서 숙성한 후 이를 구워서 주식 '자파티'를 만드는 과정을 지켜본 뒤 토속 술 '아레키'(Areqi 42도)와 함께 시식을 해 보았다.

'베 짜는 사람'이라는 도르제 부족은 마을 아래 목화밭에서 공동으로 목화를 구매해 집집마다 옷감을 짜서 염색을 하고 이를 판매한 수익으로 살아간다. 다양한 색상의 천으로 만들어진 최첨단 배색과 디자인의 모자, 옷을 파는 토산품 매장을 들러 보는데 마을 사람들이 나타나 술을 권하며 노래를 부른다. 마을 사람들과 어우러져 술을 마시고 함께 춤을 추다 보면 자연스레 토산 면제품을 사게 되고 마을 발전 기금을 쾌척하기도 한다.

-
가짜 바나나로 자파티를 만드는 도르제 여인

차모 호수

호반의 도시 아르바 민치 시내에서 멀지 않은 국립공원 '차모 (Chamo)' 호수는 서아시아 시리아 북부에서 동아프리카 모잠비크까지 뻗어 있는 '동아프리카 대지구대'에 위치하고 있다. 지구대는 대부분이 사막이나 황야이지만 10개 이상의 호수를 포함하고 있는데, 호수 주변은 충적토로 매우 비옥하다. 네 개의 산으로 둘러싸인 호수에서 몸무게 500kg~1ton 짜리 세계에서 가장 큰 나일 악어, 2ton 가까운 하마 그리고 흰머리 수리, 펠리칸을 비롯한 물새들을 돌아보며 오모 계곡 탐사를 모두 마무리 하였다.

오모 원시부족 뿐만 아니라 에티오피아인이 즐겨 먹는 주식 '인제라'는 '테프'로 만든다. 테프는 좁쌀의 사촌으로 쌀알의 1/250 크기에 꽃씨같이 가장 작은 곡물로 주로 북부 고원지대에서 재배되며 현미의 8배에 달하는 풍부한 칼슘이 있는 영양가가 매우 높은 알곡이다.

물을 섞어 이틀간 발효 후 달구어진 판에 반죽을 바깥부터 얇게 붓고 대나무 뚜껑을 덮어 3-4분 후에 만들어지는 인제라는 고소하면서도 신맛이 난다. 인제라 만으로도 먹지만 잘게 썬 소고기를 숯불에 구운 '팁스(tibs 바비큐)' 또는 콩과 함께 칠리소스에 찍어 먹기도 하는 에티오피아의 가장 오래된 전통적이고도 대표적인 음식이다.

-
구운 소고기 '팁스'와 '인제라'

-
차모 호수의 무법자 나일 악어

오모 계곡 부족 간의 혼인 관계를 살펴보면, 최근의 도시화 현상으로 그동안 제한 받던 다른 부족과의 결혼금지 원칙이 허물어지는 추세이다. 그러다보니 집 형태를 비롯한 부족 고유의 문화적 관습들이 조금씩 사라지고 있다.

오모 계곡 부족은 기본적으로 원시 공동공산 부족사회의 형태를 갖추고 있으면서도, 스스로의 치장과 문신으로 자기 자신을 마케팅 하는, 어찌 보면 가장 치열한 자본주의 자유경쟁 시장질서에 진입하여 있는 듯한 인상 이어서 잠시 어리둥절했을 정도였다. 그들이 외지인에게 돈을 받고 사진을 찍히기 전까지는 공동소유, 공동작업, 공동분배 라는 가장 원시적인 공산체제로서의 질서와 평화를 수만 년 간 누려 왔다. 그러나 이제 서로 간의 경쟁을 통해 수요 공급의 시장에서 돈의 중요성을, 돈 맛을 알게 되면서 잠재해 있던 인간의 원초적 본능을 일깨우게 되었다.

새로운 질서로 다가오는 각자의 경쟁력에 따른 도생으로 인한 사적 개인 수입의 처분은 과연 어떻게 될 것인가? 물론 다세네치 부족같이 족장이 방문객 1인당 200비르를 받고 어느 곳이나 누구와도 자유로이 사진 찍는 것이 허용되는 시스템에서는 공동수입, 공동경비로서 조화로운 타협과 평화로운 운용이 가능할지 모른다. 그러나 일단 시장과 화폐의 가치를 실감하고 있는 부족사회에서 전통적 공산체제와 경쟁적 개인주의간의 마찰과 충돌은 시간문제일 뿐, 불가피한 사안으로 받아들여지는 추세이다. 이를 조화시켜 수만 년간 지속되어 온 기존의 사회가치를 어떻게 소프트 랜딩 시킬 것인가? 라는 문제가 앞으로의 숙제로 주어져 있다.

04

영광 에티오피아의
아련한 추억

옛도시에 남아있는 인류 문명 흔적

　아프리카는 인류 태동의 시원지요 최초의 원시 인류문화 발상지이며 인간이 가장 오래 살아온 지역으로서, 에티오피아는 지리적으로 역사적으로 관심의 대상이 되어 왔다. 필자는 세계 최빈국 중 하나로 남아 있는 에티오피아의 잊혀진 문명을 거슬러 시간여행을 떠났다.

아디스아바바 (Addis Ababa)

멜카 쿤투르 (Melka Kunture)

　먼저 수도 아디스아바바 근교 남쪽으로 74k 떨어진 멜카 쿤투르 선사 유적지를 찾았다. 멜카 아와쉬(Melka Awash)마을 인근의 아우아즈(Auasz)강이 흐르는 협곡 근처에 있는 멜카 쿤두르에서 1963년 발굴된 1백만 년 전 선사 시대의 호모 에렉투스 1가구 30명이 살앉던 100평방m의 집터를 둘러보았다. 250m 가까이 하천이 흐르는 이곳에서 인류 최초로 불을 사용한 흔적인 재와 인간, 하마 뼈가 나왔다.

박물관에서 15~30만 년 전 인류 '호모 보도(Bodo Hominids)'가 5km 떨어진 화산에서 가져와 만들어 사용한 검은 흑요석 석기와 손도끼 등 도구를 보면서 수렵, 채집 생활을 끝내고 본격적인 정착에 들어간 구석기 시대 초기 인류의 생활상을 상상해 본다. 멜카(Melka)는 강 이름이고, 쿤투르(Kunture)는 건너서(cross)라는 뜻으로, 270개의 강을 건너는 곳이 있었을 만큼 선사시대 거주지였다한다.

1백만 년 전 호모 에렉투스의 집터

티야 (Tiya)

이어서 멜카 쿤투르에서 14k 떨어진 넓은 평원에 자리 잡은 1980년 UNESCO 세계문화유산으로 지정된 신비의 돌기둥 묘지 티야 전사의 무덤을 돌아보았다. 12세기에서 14세기에 걸쳐 조성된 3지역군 41기의 돌기둥은 부족의 지도자로 보이는 18~30세 젊은 남녀의 무덤 인데, 시신이 태아 자세로 묻힌 것이 흥미롭다.

이 거석 묘지군의 조성자나 돌기둥에 새겨진 다양한 칼, 동그라미, 잎새, 장신구 같은 각종 상징물이나 문양은 당시 생활상을 기호화, 정보화 시킨 의미 있는 조각으로 보여 지고 있으나, 아직까지 충분히 해독되지 못하고 있다.

돌에 새긴 칼의 숫자가 죽인 적의 수를 말해 주는데, 19명의 적을 죽인 가장 용맹스런 용사 '아와시 멜카'의 돌기둥은 잘린 하반부만 남아 있고, 없어진 윗부분은 아디스아바바 국립박물관에 있다. 머리 부분이 잘라져 나간 여왕의 무덤 돌도 보이는데, 돌 아래 부분의 바나나는 당시 그들의 주식이었다.

용사 '아와시 멜카' 돌기둥

여왕의 무덤 돌

엔토토 힐 (Entoto Hill)

아디스아바바 북녘 해발 3,200m에 위치하여 시내가 한 눈에 보이는 엔토토 힐을 찾았다. 솔로몬의 후예를 자처하며 새로운 중흥을 꾀했던 메넬리크(Menelik) 2세가 1883년 왕도로 삼아 지었다 후에 아디스아바바로 옮긴 왕궁은, 목재와 흙으로 만들어진데다 규모도 크지 않은 보잘 것 없는 형태였다.

1887년 황후 티투(Titu)에 의해 지어진 벨 하우스(Bell House)와 1918년 죽은 황후의 첫 묘였다는 쉐라 교회(Shera Bet)를 찾아보았다. 1974년 건립된 마리아 박물관(St. Mary Museum)은 별로 역사적 가치가 없는 초라한 형색이고, 마리암 교회(Maryam Church) 내부는 예배 행사 때에만 개방하여 못 들어가고 오히려 외부에서 경건히 기도드리는 신도들에 눈길이 간다. 중흥기의 왕성 치고는 전반적으로 그 구성과 규모가 기대에 못 미치는 열악한 수준을 보인다.

-
마리암 교회

악슘 (Aksum)

  고대 영광의 역사 발자취를 더듬어 찾아간 악슘은 인구 5만 명의 작은 도시로 75%가 에티오피아 정교회 신자로서, UNESCO가 1980년 도시 전체를 세계문화 유산으로 지정한 어디를 가나 유적지이다.

악슘 왕국은 BC 200-100년경 세워진 제국으로, 이보다 800-900년 전 시바의 여왕 시절 영화를 누리며 솔로몬과의 아들 메넬리크 (Menelik) 1세로 이어지는 역사를 가지고 있다. AD 5-6세기 칼레브 왕의 전성기를 피크로 점차 쇠락의 길을 걷다 7세기 이후에는 명목만 유지하던 제국도 AD 950년경 구디트 여왕에 의해 멸망한다.

오벨리스크 (Obelisk, Stelae)

  1906년 발굴된 "북 스틸리 공원(Nothern Stelae Park)"의 오벨리스크는 1-4세기 고대 악슘 제국의 장례문화 일환으로 무덤 앞에 세워져 그 영화를 상징하고 있는데 전국적으로 300개가 넘는다 한다. 대부분 화강암으로 되어 있으며 몇 개는 달의 신을 상징하는 장식으로 꾸며져 있는 '악슘 오벨리스크'는 위로 갈수록 폭이 좁아지고 있다.

  5km 떨어진 돌산에서 만들어진 스틸리(Stelae, 오벨리스크)는 이곳으로 실어오는 데만 500마리의 코끼리와 수천 명의 인력이 동원

되었다고 한다. 당시의 왕이나 왕족이 죽으면 지하에 무덤을 만들고 바로 지상에는 오벨리스크를 세워, 무덤의 숫자를 나타내는 방법으로 지하 능의 층 수 만큼 오벨리스크에 창문을 새겼다고 한다. 하지만 본래 모습을 제대로 갖추고 있는 오벨리스크는 별로 없다.

이곳에 쓰러져 있는 오벨리스크 중 가장 큰 것은 '위대한 스틸리(Great Stelae)' 로서, 그 이름에 걸맞게 세계 최장 33m로 무게 500t을 자랑하고 있다.

길이 24m 무게 180t 의 '악슘의 스틸리(The Obelisk of Aksum)' 는 무솔리니에 의해 세 부분으로 절단되어 1937년 강제 반출되었다가 2005년 반환되어 다시 합쳐진 오벨리스크다. 멀리서도 당시의 봉합한 틈새가 보인다.

스틸리에 새겨진 가짜 문(False Door)은 무덤 비석의 전형적 형태로 죽은 자가 이 문을 통해 영혼이 지나간다는 믿음에서 만들어진 것으로, 이 문이 산 자와 죽은 자의 세계 사이에서 접촉하는 면으로 간주되어 왔다.

가장 큰 오벨리스크 옆에는 1972년에 발굴된 3세기 때 지배자였던 '람하이 왕'의 무덤으로 알려진 "가짜 문의 무덤(Tomb of the False Door)"이 있다. 무덤으로 들어가는 진짜 통로가 아닌, 땅 위의 엉뚱한 돌판에 오벨리스크에 새긴 것과 같은 모양의 가짜 문과 문고리를 새겨 입구를 속이려 한 것으로 보여 지는데, 가짜 문의 무덤이라는 이름은 바로 여기에서 유래된 것이다.

무덤 안에는 대기실의 곁방과 안방이 있고 이미 절단된 돌관이 놓여 있었는데 부장품들은 이미 오래 전에 도굴되어 하나도 남아 있지 않았다. 가짜 문을 만들어 도둑의 눈을 속이려 했으나 도굴꾼을 막지는 못했던 것이다.

공원 내 한 무덤 내부를 들여다보니 무덤 전체가 한 돌(one stone)로 되어 있고 무게가 360톤으로 550톤에 달하는 통 암석 무덤도 있다는 데, 과연 시신이 어떻게 관속에 들어갔는지 불가사의하다.

부설 박물관을 둘러보았는데 특히 실제 시바 여왕의 궁전 터에서 발견되었다는 여성상의 모습이 참으로 단아하고 아름다웠다. 마치 베를린 페르가몬 박물관에 있는 진연두 빛 모자를 쓴 이집트 '네페르티티 여왕(BC1360)' 의 두상을 보던 느낌이 재현되는 듯했다.

-
쓰러져 있는 세계 최장 '위대한 스틸리'

타크하 마리암 (Ta'akha Maryam) 왕궁

악슘 왕궁 중 가장 규모가 컸던 120m x 80m의 직사각형 모양으로 네 모퉁이에 타워가 세워져 있었던 AD 4세기 또는 5세기에 만들어진 왕궁이다. 1906년 독일이 처음으로 발굴 조사 하였고 현재는 명성교회가 악슘 대학교와 발굴재단을 설립하여 2014년부터 발굴을 후원하고 있다. 엄청난 부지에 세워졌다 깡그리 폐허가 된 영광의 흔적들을 아쉽게 바라보며 발길을 돌린다.

시바여왕 (Sheba) 궁전

이어 BC 1000년경 시바 나라(족)의 여왕 궁전 터라는 '둔구르(Dungur)'를 돌아보는데 다행히 일부 유적이 남아 있다. 보좌가 안치된 돌반석, 두 개의 화덕과 아궁이가 있는 부엌 그리고 수로로 물 흘리는 물통조각도 눈에 띤다. 비록 그 터만 남아 있는 상태 이지만 궁전 내 배수시설과 설계구조가 매우 뛰어났던 것으로 보인다. 한편 시바 왕궁터를 BC10세기 보다 1500년 뒤인 AD7세기 유적으로 추정하며 용도도 왕이 아닌 귀족의 저택으로 보는 고고학자들도 있다. 석조 기술이 4세기 또는 5세기에 만들어진 '타카 마리암(Ta'akha Maryam)왕궁'의 양식과 비슷하며, 또한 4~6세기에 지어진 것으로 보는 '시온 성모 마리아 교회(Church of Our Lady Mary of Zion)'의 돌기반과 유사하기 때문이다.

구디트 스틸리 (Gudit Stelae)

건너편에는 10세기 당시 왕을 죽이고 권좌에 오른 '구디트(Gudit 또는 Yodit)여왕' 시절 조성한 "구디트 스틸리" 유적지가 있어, 크고 작은 스틸리가 세월을 안은 채 서 있기도 쓰러지기도 부서지기도 한 다양한 형태로 널려있다. 한쪽 구석에는 비교적 큰 스틸리가 세 동강 이가 난 채 쓰러져 있기도 하다.

비기독교인으로 다신교 또는 유대교도로 알려진 구디트(Gudit) 여왕은 40년 통치기간 중 악숨 왕조를 무너뜨리고 시바여왕 궁전, 칼레브(Kaleb)왕궁, 교회, 스틸리(Stelae) 등의 유적을 철저히 파괴해 악숨 전체를 잿더미로 만든 '악명 높은 여왕'의 대명사로 불린다.

시바여왕 목욕장 풀

'북 오베리스크 공원'을 지나 오르니 '시바여왕 목욕장 풀'을 만난다. 궁전에서 3km 떨어져 있는 500m x120m x16m의 상당히 큰 저수지로 물은 지하수 아닌 빗물에 의해 유입된다.

역사학자들은 이 또한 3천 년 전 아닌 1천년이나 뒤진 2천 년 전에 만들어진 것으로 추정한다. 어린애들이 흙탕물에서 헤엄치는 모습을 보면서, 지금은 없어진 당시 정자각이 있었다는 오른편 언덕을 연결하는 돌계단 네다섯이 아직 남아 있어 그나마 옛 모습을 상상하며 추억을 일깨워 준다.

-
시바 여왕의 궁전

-
구디트 스틸리

-
시바 여왕의 목욕장 풀

에자나 스톤 (Ezana Stone)

조금 더 오르니 노인네 집 같은 허름한 돌집이 나오는데, 여기에 바로 이집트 '로제타 스톤(Rosetta Stone)'에 비견되는 에자나 스톤이 1981년 세 농부에 의해 발견된 불완전한 모습 그대로 눈에 들어왔다. AD 350년경 수단의 쿠시왕조를 병합하고 소말리아와 예멘 지역까지 점령한 악슘마이트(Aksumite) 에자나(Ezana 재위 320-360) 왕은 AD 333년에 기독교를 받아 들여 AD 339년에 국교로 선언하였다. 에자나 스톤은 당시 가장 융성 했던 '에자나 왕'의 승전을 알리는 비석이다. 이 비석의 역사적 의미는 동일 내용을 세 가지 문자로 씀으로서 고대 이집트의 상형문자를 해독하게 되는 운명적 열쇠를 제공하였던 로제타 스톤과 같이 에티오피아 고어를 해독하고 역사를 규명 할 수 있는 결정적 계기가 되었다는 것이다.

전면은 옛 '그리스(Greek)어', 뒷면은 전통 왕족언어인 남아라비아 '시바(Sebaean)어', 오른 측면은 에티오피아 고어인 '게이즈(Ge'es)어'로 표기되어 있고, 왼 측면은 무 글자 평판이다. 아직도 불충분한 연구로 페니키아 알파벳에 그 시원을 둔 '게이즈(Ge'es)어'가 완전히 해독이 안 되고 있다. 현재도 발견된 상태 그대로 그 장소에 보존하고 있는데, 비석에 적혀있는 무시무시한 저주의 글 때문 이란다.

〈이 비석을 옮기는 자는 누구나 급사할 것이다〉

–
에자나 스톤

칼레브(Kaleb)왕 무덤

악숨에서 북동으로 2km 떨어진 아바 리카노스(Abba Likanos) 언덕에 자리잡은 AD 6세기 또 하나의 번성기를 누렸던 칼레브 왕 (514~542)과 그의 아들 게브레 메스켈(Gebre Meskel) 왕의 무덤을 찾았다. 언덕 꼭대기에는 각 무덤 마다 3~5개의 둥근 천장의 지하 토굴 위로 2개의 교회가 있던 것으로 보인다.

칼레브 왕 옆으로 아들 그리고 다음에 부인 등 3개의 석관이 나란히 놓여 있는 하나의 석재로 통 문틀을 짠 석실을 본다. 멀리 있는 다른 왕 무덤과는 긴 거리를 토굴로 연결하고 있다고 전해지는데, 실제로 들어가 보다가 얼마 가지 못해 돌로 막혀 있어 더 이상 나아가지 못하였다 한다. 칼레브는 강력한 군주로서 재임 중에 적을 많이 만들었기 때문에 여기를 왕의 무덤이라고 해놓고, 실제 시신은 여기서 2km 떨어진 구릉 꼭대기에 안치 하였다고 한다.

시온 마리아 교회 (Church of Our Mary of Zion)

저 멀리 언덕 위로 서 있는 판탈레온 교회(Panthaleon Church)를 바라보며 길 옆으로는 큰 선인장 나무가 들어서 있고 소들이 오가는 좁은 흙길을 걸어 내려가, 악숨이 자랑하는 "시온 마리아 교회; 언약궤 예배당 (Chapel of the Ark)"을 찾았다.

(6편 '잃어버린 언약궤를 찾아서' 참조)

칼레브왕 무덤

칼레브왕 부자, 부민의 묘

랄리벨라 (Lalibela)

에티오피아 북쪽으로 나무가 거의 없는 황량한 라스타(Lasta) 산맥의 해발 2630m 고산에 위치하고 있는 랄리벨라는 악슘과 함께 에티오피아 정교회의 성지로 알려져 있다. 12세기까지 도브레 로하(Debre Roha)로 불리었으며 암하라 부족의 교역 중심지이기도 하였다. 이 자그마한 마을, 랄리벨라는 3만 명이 안 되는 주민 모두가 에티오피아 정교회 신자이다.

십자군 전쟁 시기에 이슬람과도 좋은 관계를 유지했던 자그웨(Zagwe)왕조(1137~1270) 9대 왕 '랄리벨라(Lalibela 재위 1164-1204)'는 예루살렘을 다녀오자 수도였던 로하(Roha)에 고대 도시 악슘을 대체하여 12세기 이슬람에 의해 성지순례가 중단된 예루살렘과 베들레헴을 대신하는 성지 랄리벨라를 건설하였다. 1173년부터 하나의 암반으로 된 11개의 독특한 '지하암반교회(Rock-hewn Churches)'를 완공하면서 베들레헴(Betelehem)도 조성하고 예수 무덤, 아담 무덤도 만들면서 새 성지의 상징물을 세웠다.

UNESCO가 1978년 세계문화유산으로 지정한 지하암반교회는 거대한 하나의 통 화강암 암반 언덕을 11m 지하로 파 내려간 10개(북동6, 남동4)의 성전과 멀리 떨어진 또 하나 모두 11개의 적포도주 색깔의 붉은 성전으로 조성되었다.

화산재가 굳은 응회암 이라 깎기가 쉬웠다지만, 위에서 파 내려가 일단 문 위치를 잡고 거기서부터 안으로 파 들어가 내 외부를 조성하였다니 놀라운 건축술이다.

7천~1만 명(혹은 4만 명)의 에티오피아(혹은 이집트, 팔레스타인) 노동력이 동원되어 24년(혹은 120년)에 걸쳐 완성했다는 암반교회는 그 건설을 돕고자, 밤에는 천사가 일을 했다는 전설이 내려오고 있다.

바위산을 깎아 만들었기에 '아프리카의 페트라(Petra)' 라고도 불리는 이 놀라운 건축물은 예술적으로 매우 아름다운 에티오피아 정교회 신도들의 순례지이다.

메드하네 알렘 교회 (Bete Medhane Alem 세계의 구세주)

북동군에 위치한 세로 33m x 가로 23m x 깊이 11m 에 달하는 72개 사각 기둥으로 세워진 단일 암석으로는 현존하는 세계 최대 규모로서 요르단 강 남쪽에 자리 잡고 있다. 16세기 파괴된 고대 악숨 '데브레 다모(St. Mary of Zion) 교회'를 본 따 악숨 건축 양식으로 지어진 교회로서 주랑으로 둘러싸여 있으며, 32개의 각진 기둥이 중앙에서 양쪽으로 완만하게 경사진 지붕을 받치고 있고, 지붕에는 여러 줄의 직선 무늬를 새겼고 옆면은 아치 모양의 장식을 하였다.

5랑식 교회로서 내부에는 각각 7개의 기둥으로 이루어진 4개의 열주가 있고 본당 천장은 반원통 모양으로 되어 있다. 내부는 중세풍으로 꾸며져 있으며, 아기 예수를 안고 있는 마리아, 십자가에 매달린 예수 그림도 보인다. 황금 십자가를 들고 있는 사제가 인상적이었다. 13세기 고문서가 보관되어 내려오고 있는 데, 랄리베라 왕이 사제들의 생활을 위해 땅을 증여한다는 필사본과, 랄리벨라 왕이 교회에 대한 그의 관심을 한 번 더 과시하기 위하여 나무 제단을 기증한다는 문서가 바로 그것이다.

교회 옆 자연 암반 벽에는 제법 큰 인조 구멍들이 보이는 데, 성물을 보관하거나 불을 밝히는 장소로 쓰인 듯하다. 교회 앞에는 세례 장소로 쓰인 십자가 모양의 연못들도 보인다.

\-

아브라함, 이삭, 야곱을 위해 준비한 3개의 무덤

\-

신구약 성서를 각각 의미하는 큰북과 작은북

마리암 교회 (Bete Maryam)

두 개의 작은 교회, 북쪽 메스켈 교회(Bete Meskel, Holy Cross)와 남쪽 다나겔 교회(Bete Danagel, Virgins) 사이에 위치하고 있다. 아치형 천장과 벽면에 프레스코 화법으로 색칠을 입히고 기둥에는 이어지는 천장까지 조각을 새기어 장식한 유일한 지하암반교회이다. 아직도 천장에는 그 유명한 '다윗의 별' 문양이 선명하게 채색으로 각인되어 있다. 특히 동물, 꽃, 십자가 문양으로 조각 되어 있는 서쪽 현관 기둥은 그 독보적이고 뛰어난 예술적 가치에 감탄을 금치 못한다.

\-
채색 조각과 벽화로 장식한 유일한 교회

\-
다윗의 별

메스켈 교회 (Bete Meskel 십자가의 집)

교회 안 동굴에는 아직도 은둔 수도사가 살고 있다. 교회 정원 안뜰에는 골고다 교회와 바로 이어지는 동편으로 '예수 무덤'과 '아담 무덤' 그리고 '예수 탄생 구유'의 복제모형을 꾸며 놓았다.

골고다 미카엘 교회 (Bete Golgotha Mikael)

랄리베라 왕이 묻혀 있다는 작은 성전이다.

임마누엘 교회 (Bete Emanuel)

북동군 교회를 '메드하네 알렘 교회' 입구 옆으로 통 암반 사이로 나 있는 좁은 암벽 골목길로 빠져 나오니, 남동군 교회 중 처음으로 '암마누엘 교회'를 만난다.

한 덩어리의 독립된 바위(18x12x12m)를 깎아 섬세하게 조각해서 만든 구조로서, 전형적인 악슘 스타일로 지어진 가장 세련되고 인상적인 붉은 빛 교회로 유명하다. 왕의 예배실로 추정되고 있으며, 긴 지하 통로로 '메르코리오스 교회' 와 연결되어 있다.

통암반으로 연결되어 있는 임마누엘 교회

압바 리바노스 교회 (Bete Abba Libanos)

암마누엘 교회로 부터 양쪽 바위 사이로 낸 비좁은 동굴 같은 통로가 압바 리바노스 교회로 연결되어 있다. 고대 그리스도교 지하묘지를 본떠서 만든 교회 안에는 예수 그리스도의 생애를 나타낸 그림이 전시되어 있고, 교회 옆으로 십자가 형태의 연못 세례장이 있다.

메르코리오스 교회 (Bete Merkoreos)

남동군에서 계곡 건너 있는 '가브리엘-루파엘 교회' 가기 직전에 있는 메르코리오스 교회는 카파도키아(Cappadocia)의 순교자 '성 메르코리오스 (St. Merkoreos)'를 기려 이름 붙인 교회로서, 감옥으로도 사용되었을 것으로 추정하고 있다.

지진으로 인해 천장까지 완전히 내려 앉아 형태조차 알아보기 힘들 정도로 부서져 버린 내부에는 기둥이 불규칙하게 늘어서 있으며, 예수 그리스도의 생애를 나타낸 벽화가 보존되어 있다.

현재 원래 설계에 없던 벽돌로 새로이 벽면을 개축하여 교회를 둘러싸고 있고, 교회 밖으로 외따로 떨어져 있는 기둥들은 교회 서쪽으로 연결된 테라스와 도랑이 있던 커다란 지하방을 지탱하던 잔흔들이다.

산위로부터 들어가는 그리고 베들레헴 이라 불리던 곳에서 들어가는 입구 둘이 있었다. 임마뉴엘 교회 입구와 연결되는 지하 통로가 교회 계단 옆으로 있는 데, 현재는 자물쇠로 잠겨 있다.

-
메르코리오스 교회와 가브리엘-루파엘 교회를 연결하는 통로

가브리엘-루파엘 교회 (Bete Gabriel-Rufael/Rafael, 대천사들의 집)

남동군 교회 중 계곡 건너 맨 아래쪽에 있는 이 교회는 외부에서 동굴 통로를 통해 다리로서 출입하는데, 당초 랄리벨라 왕의 거처로 사용되다가 죽은 후 교회로 개조된 것이 특징이다. 랄리벨라 왕이 생전에 지붕 위에서 백성들에게 연설을 했다고 한다.

가브리엘과 라파엘 천사에게 봉헌된 이 교회는 매우 단순한 형태를 보임으로서, 초기 바실리카 양식의 교회들과는 차별성이 있다. 교회로 들어가는 입구에 있는 좁고 험한 길은 천국으로 가는 길을, 안쪽으로는 지옥으로 가는 길을 형상화해 놓았다.

내부로 들어서면 왼편으로는 가브리엘 교회가, 오른편으로는 라파엘 교회가 자리하고 있는데, 각각의 성소가 커튼에 의해 중심부로부터 구분되고 있다. 가브리엘 교회 중앙에는 에티오피아 교회의 예배 언어인 '게에즈(Ge'es)어'로 새긴 표석에 십자가 문양으로 조각한 두 개의 나무 제단이 있다. 표석에는 랄리벨라 왕이 이 제단을 가브리엘 천사에게 봉헌하게 된 설명이 적혀 있어 역사적으로 매우 중요하다.

마당 안뜰의 지하실에는 우물 형태의 지하 저수지도 보인다. 지하 통로로 교회 안뜰에 있는 '아로기 베들레헴' 이라는 건물과 연결되어 있는 데, 이곳은 바로 신성한 빵을 굽는 화덕 같은 부엌으로 교회의 안마당과는 분리되어 있고 방문자들의 입장이 허락되지 않는다.

'베들레헴 교회(The Chapel Of Betlehem 신성한 빵집)'의 종교적 기능은 알려져 있지 않으나 실제 세 가지 이름으로 불리 운다. 랄리벨라 왕의 '은둔의 독방(Hermit's Cell of King Lalibela)', '신성한 빵집(Bet Lehem, the Bakery of the Eucharistic Bread)' 그리고 랄리벨리 왕의 '마구간(Stable of King Lalibela's Horse)'이 그것이다.

성 게오르기스 교회 (Bete St. George/Giorgis)

 다른 교회들과 상당히 떨어져 있어서 끝으로 둘러본 '성 게오르기스 교회'는 11개 교회 중 가장 마지막에 세워졌다. 암반을 15m 깊이로 파 내려가 가로 세로 각 12m로 만든 교회는 언덕에서 바라보면 한눈에 전체적으로 십자가 문양의 지붕이 보인다. 이 때문에 4각형 모양의 다른 10개 교회에 비해 제일 먼저 소개되기도 한다.

 에티오피아에서 가장 존경 받는 성인 중 하나인 '성 게오르기스'가 랄리벨라 왕에게 나타나 자신에게 바쳐진 교회가 없다고 하자 왕이 바로 가장 아름다운 교회를 지어주겠다고 약속해서 세워져 봉헌되었다. 전설에 따르면 교회 건축을 위해 랄리벨라 왕과 신하들은 낮 동안 일하고, 밤에는 '성 게오르기스(St. George)'가 일했다고 한다.

 내부로 들어가면, 백마를 타고 긴 창으로 당시 유럽에서 악마를 상징하던 용의 목을 관통시킨 게오르기스 모습을 담은 그림이 있다. 16세기에 용의 제물로 던져진 공주를 터키에서 온 젊은 기사 게르기오스가 사악한 용을 물리치고 구출한다는 스토리이다. 거의 동일한 형태로서 긴 십자가 창으로 용의 목 아닌 아가리 속을 찌르는 모습을 그린 2010년도 그림이 대조적이며, 천장에는 어두워서 안 보이나 무언가 그려져 있는 듯하다. 안뜰 서면 벽의 빈 공간에는 부분적으로 미이라 처리된 유골들이 아직도 보존 되어 있다. 이 교회의 탁월한 보존 상태는 이곳 암반이 보다 양질의 암석이기 때문이다.

 저녁 식사를 위해 평원이 내려다보이는 해발 2800m 높이의 출 암바(Chul Amba) 언덕에 세워진 '벤 아베바 식당(Ben Abeba

Restaurant)'을 찾아 갔다. 스코틀랜드 부인과 에티오피아 남편이 함께 운영하는 식당으로, 'Ben'은 스코틀랜드어로 언덕(Hill), 'Abeba'는 현지 암하릭(Amharic)어로 꽃(Flower) 즉 "꽃의 언덕"이란 뜻이다.

하지만 확 트인 공간과 광활한 바깥 경관에 비해서 내부 꾸밈이나 식사는 무언가 상대적으로 미치지 못하다는 느낌이 들었다.

-
용을 찌르는 성 게오르기스

곤다르 (Gondar)

해발 2133m 높은 지대에 위치한 성곽도시 곤다르는 강과 연결되어 있는 농사짓기 좋은 평야에 자리하고 있다. 인구 20만 명이 거주하는 언덕 위의 푸른 전원도시 곤다르는 13세기 랄리벨라의 자그웨 왕조 몰락 이후 처음으로 영구적인 왕도(1636-1864)가 되었다.

그동안 유목생활을 하면서 정착된 왕도를 건설하지 않고 수시로 왕의 캠프를 옮기는 '이동궁전' 생활을 해왔던 황제들이 정착의 유혹을 느낄 정도로 아름다운 곳이다.

에티오피아에는 오래 전부터 한 천사가 왕국의 수도를 이름이 G로 시작하는 지역에 세우라는 계시를 주었다는 전설이 내려오고 있었는데, 파실리다스(Fasiledas)황제가 이를 따라 곤다르(Gondar)에 왕궁을 잡게 된 것이다.

쿠스쿠암 (Kuskuam Complex)

17-18세기 개축된 교회와 이를 둘러싼 성벽을 둘러보다 외부로 다른 외성 벽이 보이고 다시 멀리 또 하나의 성벽

쿠스쿠암 컴플렉스

으로 둘러싸인 3겹 컴플렉스 모습을 보며 그 규모에 놀라고 그 정교함이나 세련된 석축 양식에 감탄하였다. 박물관에 들려 1600년대 성경을 보며, 왕녀 유해가 침구와 함께 잘 보존되어 있는 것도 살폈다.

곤다르 궁전 (Godar Palace)

1636년 파실리다스(Fasiledas 1603-67) 황제에 의해 건설이 시작된 '곤다르 궁전'은 1979년 UNESCO 세계문화유산으로 지정된 '아프리카의 카멜롯'으로 불리는 곳이다.

그 규모가 어마어마할 뿐 아니라 성벽 또한 온전한 상태로 보존되어있다. 멀리 외성이 보이는 17세기 당시로는 예상 밖의 대단위 석조 구축물이다. 왕궁은 900m에 달하는 성벽으로 둘러싸인 성채 도시인데, 궁전 뿐 아니라 법원, 교회, 수도원, 도서관, 목욕탕 등 복합 건물이 들어서 있다. 왕궁 터에 들어서면 중세 유럽의 왕궁에 들어선 느낌이 드는데, 실제로 에티오피아의 고대 악슘 왕국의 전통 뿐 아니라 인도와 아랍, 그리고 포르투갈 예수회에 의한 바로크 양식 등의 영향을 받아 지은 이국적인 혼합 건물이다.

파실리다스 궁전

1635년에 시작해 1648년경에 완공된 곤다르 건축 양식을 가장 뛰어나게 표현한 궁전이다. 둥근 천장 모양의 4개의 돔 형식 탑과 아치형 성문을 한 3층짜리 궁전으로 둥근 돔 형식의 꼭대기 탑으로 인한 달걀 모양의 지붕 형태 때문에 '달걀 성 (Enqulal Gemb, Egg Castle)'이라고도 한다.

1층은 연회장과 공식 접견실이 있고 2층과 3층에는 파실리다스 황제의 기도실과 왕의 침실이 있다. 지붕 위는 종교적인 행사장으로 사용 되었고, 황제가 백성들에게 연설하던 곳도 바로 이곳이라고 한다. 지붕 위의 4각형 탑에서 바라보면 타나 호수의 아름다운 물이 보인다고 해서 3층 통로에서 지붕으로 올라가는 문을 찾았는데 자물쇠로 잠겨 있다.

이야수 1세 궁전

　파실리다스 궁전을 나오면 바로 옆에 보이는 '요하네스 (Yohannes) 1세' 황제의 아들 '이야수(Iyasu)1세' 황제가 세운 3층 짜리 이야수 궁전은 지붕 모양이 말안장과 비슷해 '말안장 궁전' 이 라 불린다. 과거 베네치아 거울과 황금 채색, 상아, 아름다운 벽화 등 화려한 내부 장식으로 솔로몬의 성보다 더 아름답다는 찬사를 들었 다고 한다.

그러나 1704년의 지진과 1940년 곤다르를 점령하고 있던 이탈리아 파시스트를 몰아내기 위한 영국군의 폭격으로 화려한 내부 장식은 거의 모두 사라졌을 뿐 아니라 궁전의 지붕이 날아가 버리고 일부 성 벽도 허물어져 쇠락한 왕국의 모습을 보는 듯했다.

　이야수 궁전에서 바카파 궁전으로 올라가는 담벼락과 성안의 궁전 에는 미로같이 복잡하게 얽힌 수많은 비밀 통로와 문이 있는데, 곤다 르 왕국의 음습한 권력투쟁을 연상하게 한다. 왕궁에는 어디나 음험 한 음모와 술수가 난무하기 마련이다.

　실제로 곤다르 왕국은 '이야수 1세' 황제가 아들에 의해 살해된 뒤 왕국은 권력을 둘러 싼 암살과 살해, 배신과 반란 등이 들끓었고 점 차 암흑의 시대로 빨려 들어갔다. 에피오피아 역사가들도 곤다르 왕 국의 말기를 구약성서의 판관기에 나오는 심판의 시기와 같은 무법 과 무질서의 암흑시대로 규정하고 있다.

사자 우리

곤다르 왕궁 한 가운데에는 사자 우리가 그대로 보존되어 있다. 이는 에티오피아 황제들의 권위와 정통성을 상징하기 위한 공간이었다. 에티오피아 역대 황제들은 스스로를 왕 중의 왕, 유다의 사자(Lion of Judah)라고 불렀다. 성경에서 구세주, 즉 메시아는 하느님의 어린 양(Lamb of God)과 정복자 사자(Conquering Lion)의 두 얼굴로 나타나는데, 예수 그리스도는 하느님의 어린 양으로 온 것이고, 에티오피아 황제들은 정복자 사자, 또는 정의의 지배자 사자로 온 것이라고 스스로 믿었던 것이다.

유대교와 기독교적 전통에 따라 황제 자신을 성경 속의 이야기에 포함시킴으로써 왕권을 신격화하려 했다. 왕권은 하느님으로부터 부여 받았다는 이른바 왕권신수설을 주장하면서, 유다의 사자를 상징하는 동물인 사자를 왕궁에 길러 황제 자신의 정통성과 권력의 정당성을 과시하려고 했던 것이다. 에티오피아 마지막 황제인 하일레 셀라시에가 1930년 황제 자리에 오르면서 대관식 연단 밑에 살아 있는 네 마리의 사자를 가져다 놓은 것도 같은 이유이다.

파실리다스 목욕탕

수목이 우거진 경치 좋은 곳에 자리 잡은 왕실 목욕탕 또는 세례장으로 성채에서 걸어서 30분 정도 떨어져 있다. 2층 건물로 한쪽에 직사각형 풀(pool)이 있는데, 근처의 강과 연결되는 운하를 통해 물을 공급하였다. 건축에 관심이 많았던 파실리다스 황제는 교회 7개와 수많은 다리를 만들었으며, 매년 1월에 열리는 전통 팀카트 축제 때는 수영장 궁전에서 목욕을 할 수 있게 개방하였다. 커다란 아름드리 고목들로 둘러싸인 직사각형의 풀(pool)은, 물에 비치는 나무들과 적색 벽돌 건물이 어우러져 만들어내는 경관이 가히 일품이다.

데브레 베르한 셀라시에 교회
(Debre Berhan Selassie Church)

성벽으로 둘러싸인 정문을 통해 안으로 들어가면 정원 한가운데 있는 4각형의 전방후원형 교회로서 '노아의 방주' 모습 이라 한다. 곤다르의 건축물 중에 매우 작은 편에 속한다.

'이야수 1세' 황제가 남긴 최고의 업적으로, 1694년 1월 31일 개관한 이 교회는 도시의 북서쪽에 높은 벽으로 둘러싸여 있는데 1881년 수단 이슬람과의 전투에서 곤다르 44개 교회 중 유일하게 파괴되지 않은 교회로서 지금도 계속 사용되고 있다.

교회의 외부는 평범한 초가지붕으로 보이나, 내부는 천장과 4면 벽에 종교 역사의 장면 하나 하나를 놀라울 정도로 아름답게 채색한 벽화들로 가득 차 있다. '하일레 메스켈' 이라는 화가가 3일 만에 모두 그렸다고 한다.

에티오피아 최고의 걸작으로 꼽히는 소녀 모습의 '날개 달린 둥근 아이 천사 머리' 천장화가 널리 알려져 있다. 천장을 장식하는 미술 책 등에서 본 적이 있는 이 유명한 아기 천사는, 검은 머리에 동그란 얼굴 그리고 큼직한 눈과 오똑한 코에, 얼굴 뒤로는 해바라기 같은 날개가 그려진 에티오피아 어린아이들의 전형적인 모습이다. 천장에 그려진 수십 개의 얼굴 모양이 모두 다르다. 웃는 모습과 당황한 모습, 시무룩한 모습 등 표정도 다양한데, 같은 표정 중에서도 어딘가 모르게 서로 조금씩 다른 얼굴을 하고 있는 것이 신기했다. 이 아기

-
아기천사 천장화와 성 게오르기스

천사는 모두 16줄이고 한 줄에 7개씩의 얼굴을 그렸는데, 앞쪽 3번째까지는 오랜 세월에 몇 개씩 그림이 지워지고 천장이 떨어져 나가 보이지 않았다.

북쪽 정면 벽은 십자가에 못 박힌 그리스도 위에 성 삼위일체가, 남쪽 벽은 성모 마리아가, 동쪽 벽은 예수의 일생이, 서쪽 벽은 붉은 황금색 바탕 안에 백마를 타고 있는 성 게오르기스를 포함한 주요 성인과 순교자가 그려져 있다. 이 교회를 처음 설립한 이야수 1세 황제의 초상화도 보인다. 특히 벽에 그려진 지옥의 그림은 15세기 네덜란드 화가인 '히에로니무스 보쉬'의 악마적이고 풍자적인 묘사와 비슷하다는 평가를 받고 있다.

눈길을 끄는 그림은 뒤쪽 천장의 오른쪽에 그려져 있는 장면이다. 천장인데다 오른쪽 귀퉁이에 그려져 있어 강한 햇빛이 들어오지 않는 경우에는 보일 듯 말 듯 하다. 머리에 뿔이 달린 악마가 낙타 목을 앞에서 끌고 가는데 낙타에는 이슬람교의 창시자인 예언자 마호메트(무하마드)가 타고 있는 모습이다. 아마도 이슬람교는 마호메트가 악마의 유혹에 빠져 만든 이단 종교라는 것을 말하고 싶었던 것 같다. 곤다르 지역은 지난 1881년 수단의 이슬람 마흐디 파 광신자들에게 약탈당했는데, 그 이후에 이슬람에 대한 적개심 때문에 이 그림이 그려진 것이 아닌 가 추측해 본다.

당시 이 교회가 마흐디 파 광신도들에 의해 점거되기 직전 때마침 벌 떼들이 날아와 가까스로 파괴되지 않았다는 전설이 있을 정도이다.

곤다르에 가면 꼭 가 볼만한 교회이다.

내부의 절반은 최고 성직자만이 드나드는 출입금지 구역이고, 외부도 그 절반이 좌우 성벽으로 외벽과 연결되어 있으며, 행랑이 있어 일반 성도의 기도 장소로 쓰이는 통상의 교회당 이다.

황제 이름인 이야수(Iyasu)는 암하릭 어로 구약성서에 나오는 이스라엘 민족의 지도자인 조슈아(Joshua 여호수아)를 의미하는 데, 에피오피아 역대 왕이나 황제 이름 가운데는 성경에 나오는 인물들의 이름을 암하릭 식으로 딴 경우가 많다. 칼렙(kaleb)왕 역시 구약성서의 갈렙(Caleb)을 의미하고, 요하네스(Yohannes)황제는 신약성서의 세례 요한(John)을 의미하는 등 자신들의 뿌리를 기독교에서 찾고 있다는 것을 알 수 있다. 예수(Jesus)는 암하릭 어로 예수스(Yesus)라고 부르고, 메스켈(Meskel)은 십자가(cross)를 의미한다.

BC 10세기 시바의 여왕 전설이 서린 고대 악숨 왕국 문명의 유산을 살피면서, 오벨리스크나 왕궁의 거석문화는 물론 무덤이나 궁전 벽면의 돌 이음새가 남미의 잉카 쿠스코 성곽 못지않게 빈틈없이 쌓아 올린 것이 놀랍기만 하다. 큰 돌 모퉁이를 잇는 작은 돌 배합에 그 어떤 연결체도 없이 돌로만 물리며 버틴 놀라운 석재건축 공학기술은 감탄을 자아낸다.

"에티오피아인들이 역사와 신앙의 자부심을 느끼게 한다" 는 지하암반교회를 보면서, 12세기 랄리벨라 시대가 고대 에티오피아의 높은 문명을 상징하는 영광의 빛살 문이라는 사실을 실감 한다. 고원 곳곳에 융합건축 양식으로 세워져 한때는 영광을 누렸던 곤다르 건축물들의 엄청난 규모와 그 세련된 미적 감각에 절로 고개가 숙여진다.

아프리카에서는 이집트와 함께 오직 에티오피아만이 문자를 사용한 역사를 가지고 있다. 이집트는 고대의 상형문자를 이어가지 못하고 현재는 문자를 잃어버렸으나, 에티오피아 '게이즈(Ge'es)어'는 표음문자로서 오늘날까지 '암하릭(Amharic)어'로 이어지며 독자적인 문자와 언어로 사용되고 있다.

한편 세계문화사에서 재조명 되어야 할 아프리카 문명 문화를 풀어나갈 소중한 역사 유산 '에자나 스톤'이 발견된 지 40년 가까이 지난 현재의 보존 상태가, 1880년대 만주에서 발견되어 1888년 알려진 광개토호태왕비의 2~30년 전까지 방치된 모습과 크게 다를 바 없는 현장에 연민을 느낀다.

고대를 거쳐 중세에 이르는 정교한 거석문화, 예술적으로 매우 아름답고 잘 마무리 된 놀라운 건축물, 아직도 생생히 다가오는 교회 내부의 벽화 등 생각지도 못한 예술성에 놀라움을 금치 못했다. 그 경이로움을 통해 나는 아프리카 여행이 에티오피아의 문명, 문화, 문자, 언어를 새롭게 인식하는 소중한 계기가 되었음을 느꼈다. 그렇게 에티오피아가 처해 있는 잊혀진 영광의 현실 앞에 알 수 없는 아쉬움을 남기며 발길을 돌렸다.

05

시바와 솔로몬의 로맨스가
역사를 쓰다

시바와 솔로몬의 로맨스가 역사를 쓰다

에티오피아인의 자부심이 된 시바 여왕

얼마 전 에티오피아는 항공기사고와 쿠데타불발 등의 사건으로 세계의 주목을 받은 바 있다. 2018년 4월 '아비 아흐메드 총리'는 취임 이후 정치범 석방, 국경 분쟁 중이던 이웃 에리트레아 와의 종전 선언, 소말리아와의 관계 개선 등 대대적인 대내외 변화를 추구하며 일련의 국가 개혁 정책을 주도해 왔다. 이러한 평화와 국제 협력을 위한 그의 결단력 있는 행동으로 그는 2019년 100번째 노벨평화상 수상자로 선정 되었다.

군 참모총장과 제2자치주 주지사의 목숨까지 앗아간 2019년 6.22 쿠데타 시도는 이러한 국가개혁에 반발하는 지역 정치인들 간의 격렬한 정치 대립 그리고 누적된 인종, 부족, 종교 간 분쟁의 심화 등에서 비롯된 것이다.

2019년 에티오피아를 갔을 때도 분위기가 심상치 않다며 수도 아디스아바바의 중앙시장으로 나가지 말라는 주위의 권고가 있었고 그 때문에 서민들이 살아 숨 쉬는 현장을 가보지 못해 무척이나 아쉬웠다. 하지만 당시에는 상황이 얼마나 심각한지 알지 못했다. 나중에

쿠데타가 발생했다는 소식을 듣고 보니 얼마나 위험했는지 수긍이 갔다.

에티오피아는 한국전 당시이던 1951년 5월, 아프리카에서는 유일하게 지상군 대대병력을 UN군의 일원으로 파견한 나라다. 에티오피아군은 657명의 인명 피해를 내었으나 한 명의 포로도 없이 253번 전투에서 전승한 참전국이다.

당시 '메넬리크 1세'의 225대 직계손 이라는 '하일레 셀라시에(Haile Selassie) 황제'는 1935-36년 이탈리아의 침략에 본인이 직접 싸웠던 역사적 경험이 있었기 때문에, 자유 평화를 지키기 위해 선뜻 최강의 왕실 근위대를 파병해 주었다.

이런 역사는 여행사 사람들이 한국인을 유치하는 단골 메뉴로 활용되고 있다. 에티오피아 사람들은 한국 사람들 보면 매우 반가워하면서 한국전 파병 이야기를 하게 되고, 한국인으로서는 물론 그 때 에티오피아가 참전해서 한국을 도와 준 것에 대해 감사 한다고 하면서 서로 사이좋게 여행을 시작하기도 하는 감초 역할을 한다.

에티오피아는 아프리카에서 라이베리아와 함께 유럽 열강의 식민지가 되지 않은 두 나라 중 하나다. 이탈리아가 1936년부터 5년간 잠시 점령하기는 했으나 강한 저항으로 끝내 공식적인 식민 지배에 이르지 못한 채 1941년 철수했다.

이러한 이유로 에티오피아 사람들은 자긍심이 강하고 자존감이 높다. 아프리카 전체가 서구 열강의 식민지로 신음하고 있을 때 당당하게 제국주의 세력과 맞서서 자신의 독립을 지켜냈기 때문이다.

1896년 '메넬리크 2세'는 아드와 전투에서 이탈리아군 17,000명의 침공을 당당하게 물리쳤다. 겨우 5,000명의 이탈리아군만 살아 돌아가는 대승을 거두었다. 이는 아프리카인들이 서구 식민제국주의 열강들을 상대로 한 전쟁에서 거둔 최초의 가장 완벽한 승리로 기록되고 있다. 인류 최초의 화석도 이곳에서 발견되었기 때문에 에티오피아가 인류 역사의 시원이라는 점에서도 에티오피아 사람들은 큰 자부심을 가지고 있다.

한 가지 재미있는 사실은 '시바(Sheba)여왕'과 솔로몬(Solomon) 왕과의 로맨스로 태생된 역사로 인해 에티오피아가 선민의식을 가지게 되었다는 것이다. 로맨스의 주인공 시바의 여왕을 비롯한 고대 영광의 역사 발자취를 더듬기 위해 두 차례에 걸쳐 에티오피아를 찾을 기회를 가졌다.

수도 아디스아바바의 북동 방향에 위치한 '악숨(Aksum)'에 자리 잡은 악숨 왕국은 BC 200~100년경 세워진 제국으로, 이보다 800-900년 전 영화로웠던 시바(Sheba)의 여왕 시절 솔로몬과의 관계에서 태어났다는 아들 메넬리크(Menelik)로 부터 시작된 역사를 가지고 있다.

태양신을 섬기던 시바의 여왕이 솔로몬 왕을 방문하였다. 금은보화, 향료 등의 많은 선물을 실은 첫 낙타가 출발하고 마지막 낙타가 떠나기 까지 사흘이 걸렸다 할 만큼 많은 선물로 솔로몬의 마음을 샀을까?

아니면 클레오파트라를 능가하는 아름다운 미모 때문이었을까?

실제 시바 여왕의 궁전 터에서 발견되었다는 여성상의 모습이 참으로 우아하고 멋있었다. 에티오피아 수도 아디스아바바에 위치한 "성삼위일체 교회(The Holy Trinity Church)"의 유리창 그림에는 솔로몬 왕과 시바 여왕 사이의 아들 메넬리크 1세가 그려져 있다. 에티오피아인은 스스로를 시바의 '미모'와 솔로몬의 '지혜'를 겸비한 민족이라고 여기며, 아프리카 반(半), 히브리 반이 섞인 존재라고 믿는다.

솔로몬은 BC 950년경 시바의 22살 된 아들이 가져온 반지로 친자를 확인하고 다른 어떤 왕자들보다도 모든 면에서 탁월했던 아들을 후계자로까지 생각하였다고 한다. 어느 날 어머니 시바 여왕을 위해 에티오피아로 돌아가야 한다는 아들에게, 솔로몬은 모세가 하나님으로부터 받았다는 십계명이 들어 있는 '언약궤'를 주면서 아들의 나라를 돕기 위해 이스라엘 12지파에서 성직자와 학자, 장인 등 각 1천명씩 모두 1만 2,000명의 유대인을 선발해 에티오피아로 함께 보냈다.

아들은 에티오피아로 돌아와 북부 지역 악슘에 정착하여 언약궤를 안치하고 나라를 세우는데 이 나라가 바로 '에티오피아'이고, 이 아들의 이름이 '메넬리크(현지어로 '현자의 아들')'이다. 그는 에티오피아에 '솔로몬 왕조(Solomonic Dynasity)'를 열고 초대 왕이 되었다.

이렇게 시작된 역사로 인해 에티오피아에는 오랫동안 유대교와 기독교가 함께 자리 잡고 있었고, 현재는 유대교 보다 에티오피아 향토색이 짙은 정교회를 믿는 사람들이 대부분이다. 한 아프리카 여왕의 러브 스토리는 3000년 전 솔로몬의 명성을 일깨워주고, 그리고 당시 먼 나라 간 외교관계의 긴밀성과 중요성을 엿볼 수 있는 이야기거리를 제공해 주고 있다. 시바 여왕은 구약 성서, 유대교 경전, 쿠란 그리고 에티오피아 역사에도 언급되어 있다.

실제 시바 여왕의 궁전 터도 존재한다. BC 1000년경에 세워졌다는 시바 나라(종족)의 여왕 궁전을 돌아보았는데 그래도 다행히 당시의 규모를 파악할 수 있을 정도의 유적이 있었다. 궁전 터는 뒤로 갈수록 경사가 져서 전망대처럼 전체를 조망할 수 있게 설계되어 있다. 전망대에 올라서면 궁전 앞으로 드넓게 펼쳐진 평원을 바라보면서 백성들 삶의 동향이나 적의 침입도 충분히 파악할 수 있을 것으로 보였다.

시바는 나라(또는 종족)의 이름이고, 당시 여왕의 이름은 마케다(Makeda)였다.[1]

궁전에서 3km 떨어져 있는 곳에 시바여왕이 즐겨 찾았다는 목욕장이라 알려진 상당히 큰 저수지가 있다. 언덕을 끼고 있는 지형에 이렇게 넓은 목욕장을 만들려면 강력한 정치적 권위가 있어야 할 것으로 보였다. 당시 정자각이 있었다는 오른편 언덕으로 오르는 돌계단 너덧 개가 남아있다.

---

1) 시바여왕의 이름은 문헌에 따라 다르게 표기된다. 코란에서는 Bilqis, 아랍의 전설에는 Berkeis 라는 이름으로 등장한다.

–
시바여왕의 보좌 돌반석

최근 고고학자들이 아라비아 남서부 사막 아래 예멘에서 3,000년 전 시바 왕궁 터로 보이는 문명의 자취를 발견하였다고 한다.

번창했던 시바 여왕 시절에는 현재의 에티오피아뿐만 아니라 지금의 수단, 에리트레아, 지부티, 소말리아를 비롯해 홍해, 아덴 만 건너의 아라비아반도 예멘까지 지배했던 강성한 대 왕국이었다. 당시 남아라비아에 위치한 예멘은 몰약, 유향 등 향료 교역의 중계지로 물산이 풍부했을 뿐만 아니라 '천일야화'의 실제 무대이기도 하였다.

강성한 '칼레브(Kaleb 재위 514~542)왕' 시절 525년 예멘을 지배하면서 양국의 역사가 뒤섞이기도 하였다.

비록 시바와 솔로몬의 로맨스로 인해 에티오피아 역사가 쓰여 졌다고 해도 시대적으로 정확하게 고증되는 것은 아니다. 시바도 솔로몬도 모두 역사적인 실존 인물이지만, 시바와 솔로몬의 로맨스로 결실을 맺었다는 아들 메넬리크와도 시간이 맞지 않아 역사적 사실로 받아들이기가 쉽지는 않다.

그렇다고 믿거나 말거나 하기에는 에티오피아인의 믿음의 뿌리가 너무나 깊어서 전설과 신화가 신념을 바탕으로 역사화 되어 있는 상황이다. 시바와 솔로몬의 로맨스 전설이 역사적 사실에서 비켜가더라도 민중의 열망과 바람을 담고 있다 보니, 그 꿈과 희망은 시공간을 뛰어 넘어 승화되면서 선조들의 혼과 교훈을 소중히 여기는 역사적 전통으로 전수되고 있는 듯하다.

에티오피아의 검은 유대교인 팔라샤(Falasha)가 살았던 웰레카(Wolleka) 마을

마을 입구에서 맞이하는 "역사적인 마을 웰레카에 온 것을 환영 한다"는 팻말이, 〈역사적으로 사라진 마을을 뒤늦게 찾은 것을 유감으로 생각 한다〉는 말로 눈앞에 다가 온다.

곤다르 시내에서 북쪽으로 6km 떨어진 '웰레카'는 집들이 몇 채 남아 있지 않고 마을 주민 몇 명이 도자기나 보자기, 머플러 등 공예품을 팔고 있는, 거의 폐허나 다름없는 마을이다. 지난 1984년부터 1991년 사이 마을 주민들 대부분이 이스라엘 정부가 주도한 대량 비행기 수송을 통해 이스라엘로 이주했기 때문이다. 당시 이스라엘로 이주한 사람은 무려 2만 2,000여명에 달한다.

전통적으로 에티오피아 사람들을 '아베샤(아비시니아 사람)'라고 하는 것에 반해, 웰레카 에 사는 사람들은 피부 색깔은 같지만 '팔라샤'라고 부른다. 원주민들은 그들을 천시하는 말로 '이방인' 또는 '권리가 없는 사람'이란 뜻으로 팔라샤 라 하지만, 그들 스스로는 '베타 이스라엘(Beta Israel), 이스라엘 가문' 또는 '에티오피아의 검은 유대인'이라고 부른다.

19세기 중엽 영국인 선교사들은 외부와 단절되어 1600년 이상 자기들 고유의 생활방식을 고수하며 유대인 신앙을 실천하는 이 사람들을 발견하고는 경악을 금치 못한다. 이들은 언젠가는 약속의 땅인 가나안으로 돌아갈 수 있다며 전 세계를 떠돌던 유대인들의 한 뿌리라고 여기고 있었다.

1천 년간 에티오피아의 서북부 지방에서 크게 번영했던 에티오피아의 유대교는 AD 333년 기독교의 전래와 339년 국교화 이후 교세가 현격히 줄기 시작하였다. 4세기에 기독교가 에티오피아의 국교가 되지만 이들은 개종하지 않고 자신들의 신앙을 꿋꿋이 지키며 스스로를 유대인으로 믿고 살고 있었던 것이다. 기독교로 개종하지 않았다는 이유로 토지를 몰수당하자 농사를 짓지 못하고, 살아남기 위해 대부분 도자기를 굽는 도공이나 대장장이 또는 직물업, 건설업 등에 장인으로 숙련업에 종사하면서, 에티오피아 유대교도들 만의 독특한 마을과 문화를 형성해 왔던 것이다. 최근의 연구 조사에 의하면 곤다르 전성시대에 세워진 성, 궁전, 교회당의 건축과 장식에 이들 팔라샤들의 기술과 솜씨가 큰 역할을 하였다 한다.

월레카에 현재 남아 있는 유대교인은 없다. 이제 관광객들의 발길도 끊긴 마을에는 종전의 그 수준 높던 수공예품도 안 보이고 좀처럼 생기도 찾아보기 힘들다.

팔라샤들이 일했던 옛날 도자기 공장이나 실 짜는 작업장은 현재 미혼모 등 홀로 된 여성 을 위한 기능훈련장 겸 공동생활체로 사용되고 있다. 도자기 공장 안에는 열심히 흙을 반죽하여 술병 도자기를 만들고 있으며, 공장 앞에서는 물레를 이용해 실을 짜고 베틀을 이용해 수공업 식으로 천을 짜고 있었다. 공장 뒤의 넓은 텃밭에는 채소를 가꾸며 김을 매고 있다.

팔라샤들이 떠난 빈 공간을 활용한 공동작업장 안에는 공예품을 파는 작은 가게가 있다. 옛날 팔라샤들이 만들었던 도자기처럼, 여성들이 만든 도자기에도 솔로몬 왕과 시바의 여왕이 함께 침실에 있는 장면이 그려져 있다.

1970~80년대의 가뭄과 기근, 그리고 에리트레아와의 내전으로 북부 악숨 지역의 팔라샤들은 이스라엘로 가기 위해 1984년 11월부터 이듬해 1월까지 걸어서 수단의 난민촌에 모였다. 4,000명이 죽는 험난한 과정 중에서도 언젠가는 이스라엘에 도착하게 될 것이라는 꿈과 소망의 끈을 놓지 않은 검은 유대교인에게, 이스라엘은 극비리에 유럽 항공사를 고용해 30차에 걸친 '모세 작전'을 펼쳐 8,000명을 이스라엘로 공수했다.

이후에도 미국의 중재와 에티오피아 정부의 허가 속에 1991년 '이스라엘 공수 협정'이 체결되어 '솔로몬 작전'을 펼쳐 5월24일 25시간 만에 진행된 엑소더스로 1만 4,000명을 이송하였다. 당시 이주 예정이던 1만7천 명 중에 3000명의 기독교 신자가 있었다. 이스라엘 당국은 기독교인들에 대한 공수를 거부하며 유대교 신자와 기독교 신자가 섞여 있는 가정을 분리하였다. 이스라엘은 팔라샤 크리스천이 이스라엘로 오는 경우 유대교로 개종해야 한다고 못을 박음에 따라, 이를 거부한 크리스천 유대인들은 이스라엘로 가는 것을 포기하고 에티오피아에 머물러 살고 있다.

현재 악숨 주변에는 약 4,000명의 유대교인들이 남아 있고, 이스라엘에는 1984년부터 이주한 약 12만여 명의 에티오피아 출신 흑인 유대교인들이 살고 있다.

'에티오피아 유대교인'은 있어도 '에티오피아 유대인'은 없다.

웰레카 마을을 떠난 에티오피아 유대인과 관련해 흥미있는 사실은 이스라엘 유대인과 에티오피아 유대인의 유전자(DNA)를 분석한 결과 아무런 연관이 없는 것으로 나타난 것이다.

유전인류학자들이 이들의 상관관계를 알아보기 위해 유전자 분석을 해보니 오히려 에티오피아 유대인은 비유대인 에피오피아인과 유전적으로 동일한 것으로 나타났다.

이스라엘 민족과 같은 유대인이라고 생각해 이스라엘로 떠난 에티오피아 유대교 신자들이 유대인과 혈연적으로 아무런 관련이 없는 것으로 나타난 것이다.

'에티오피아 유대교인'은 있어도, '에티오티아 유대인'이라는 말은 성립될 수 없는 것이다. 유대인이라는 것은 유전적, 인종적 분류가 아니라, 유대교를 믿는 모든 사람을 포괄하는 종교적, 문화적인 개념일 뿐이다.

에티오피아 유대교 신자들이 자신을 유대인이라고 믿었던 데는 종교적 이유뿐 아니라 시바여왕의 전설처럼 3000년 전 솔로몬 왕과 여왕 사이에 태어난 메넬리크 1세로부터 에티오피아가 비롯되었다는 오랜 신화가 작용한 것으로 보인다.

전설에서 솔로몬 왕은 아버지를 보기 위해 예루살렘을 방문한 아들 메넬리크 1세가 돌아갈 때 아들의 나라를 돕기 위해 이스라엘 12지파에서 1만 2,000명의 유대인을 선발해 함께 이주시켰다는 이야기이다.

웰레카 마을에 살던 팔라샤들은 자신들이 바로 메넬리크 1세와 함께 이스라엘에서 건너온 1만 2,000천명의 유대인 자손이라고 굳게 믿고 있었다.

이스라엘이 유대교를 믿는 전 세계 '유대교 신자'를 '유대인'과 동일시 해 선민의식을 고취 시키면서 이주시킨 것은 아랍인들에 비해 상대적으로 적은 인구를 만회하기 위한 고도의 정책적 계획에 따른 것으로 보여 진다.

실제로 이스라엘은 에티오피아 뿐 아니라 인도, 소련 등 전 세계에서 '유대인'들을 불러들여 예루살렘뿐 아니라 요르단 강 서안지구나 가자지구 등 중동 전쟁을 통해 빼앗은 점령지의 불법적인 정착촌에 이주시켰다.

이스라엘인 보다 팔레스타인의 출생률이 압도적으로 높음에 따라 전 세계 유대교 신자들을 팔레스타인 지역으로 집단 이주시켜 수적으로 누르겠다는 의도가 깔려 있는 셈법이다.

역사학자 데이비드 데이는 〈정복의 법칙〉이란 책에서 이스라엘의 이러한 유대교 신자 이주 정책을 점령국의 고전적 영토 약탈 정책인 '타국민 밀어내고 자국민 이주하기'의 대표적 사례로 꼽았다.

중국이 '서북, 서남 공정'이라는 미명하에 '위그르족 신장'이나 '장족 티베트'로 한족을 대거 집단 이주 시키는 것 또한 구체적인 실례이다.

다양한 인종과 종교가 공존하는 인류 평화의 공동체

팔라샤들이 떠나 황폐해진 웰레카 마을에서 쓸쓸함과 허전감이 느껴진다. 팔라샤들은 조상대대로 살아온 이곳 웰레카 마을에서 유대교라는 독특한 종교와 생활양식을 지키면서 독자적인 문화를 지켜나갈 수가 없었을까?

물론 에티오피아 정교회와 이슬람이라는 거대 종교 사이에서 유대교라는 소수 종교가 설 자리를 찾기는 쉽지 않았을 것이고, 종교 간 갈등과 인종 간 대립이 일어나는 상황에서 생명 자체의 위험도 느낄 수 있었을 것이다.

유대교 집단 이라는 독특한 문화가 사라진 웰레카 마을로 부터 역설적으로 다른 종교와 다른 인종과의 공존이 얼마나 인류 문명과 역사를 풍성하고 가치 있게 하였는지 실감이 났다.

서아프리카에서 카리브 해와 미국 등으로 끌려간 흑인 노예 출신의 후예들인 '라스타파리교' 추종자들은 '아프리카로 돌아가자'는 기치 아래 인종적으로 상관없는 에티오피아를 종교적 안식처로 삼아 돌아오고 있다.

이에 반해 수천 년 동안 이 땅에서 주인으로 살아온 에티오피아 유대교 신자들은 '아프리카를 탈출하자'는 깃발 아래 역시 인종적으로 상관없는 이스라엘로 떠나는 엇갈리는 행보를 보여 주고 있다.

에티오피아를 다양한 인종과 종교가 공존하는 인류 평화의 박물관으로 만들 수는 없을까? 종교적 배타와 문화적 배제, 인종적 차별이 문명 자체를 파괴할 수 있다는 것을 웰레카 마을은 보여주고 있다. 종교적으로 복잡하고 문화적으로 다양한 문명권이 충돌하게 되는 세계화 시대일수록 공존의 미학은 더욱 필요하다.

에티오피아인 어느 누구도 약슘에 보관되어 있다는
언약궤를 본 일이 없지만, 이들의 마음속 어딘가에는
언약궤의 존재를 확신하는 믿음과 자부심이
있는 것이 확실해 보인다.

–

과거 역사에 대한 존재의 굳건한 확신과 신실한 믿음으로
꿈과 희망을 안고 현재를 살아가는 국민들의 모습에서,
언약궤의 실존 여부를 뛰어 넘는 그들의 성궤에 대한 열정과 소망을
나는 숙연한 마음으로 현실로서 담담히 받아들였다.

06

잃어버린 언약궤를 찾아서

잃어버린 언약궤를 찾아서

모세 신화를 찾아간
시온 마리아 교회

  역사적으로 솔로몬 왕이 죽은 후 잃어버린 것으로 알려진 모세의 '언약궤(또는 성궤)'의 행방은 지난 2600여 년간 인류의 최대 관심사 중 하나였다. BC 1440년 시내산 에서 모세가 여호와로부터 받은 두 개의 돌 판에 새긴 십계명을 담은 싯담(아카시아)나무로 만들어 안팎으로 금박을 입힌 언약궤는, BC 10세기 솔로몬 왕이 신축한 예루살렘 성전 지성소에 안치 되어 있었다. 솔로몬 왕 사후 이스라엘의 10개 지파가 '북 이스라엘'로 독립해 나가고 2개 지파만 남아 '남 유다'로 존속하는 혼란기를 거치면서, BC 586년 바빌론에 의해 예루살렘이 파괴되면서 사라졌다는 것이 정설이다.

  나는 잃어버린 언약궤의 전설을 따라가 보고 싶었다. UNESCO 세계문화유산으로 지정된 에티오피아에서 가장 유명하다고 할 수 있는 악숨에 있는 '시온 마리아 교회(Church of Our Mary of Zion)'가 바로 그곳이다.

이 교회에는 기독교와 이슬람 사이에 빚어진 종교 갈등의 역사가 그대로 배여 있다. AD 333년 기독교를 받아들인 이후 4-6세기 최전 성기의 '에자나(Ezana)'왕과 '칼레브(Kaleb)'왕 시기에 교회가 처음 세워졌으나, 1535년 '왼손잡이'라는 별명으로 불린 이슬람 지도자 '아흐마드 그란'의 침략을 받아 파괴되었다. 지금의 '악슘 고고학 박물관' 옆의 빈터가 바로 처음 세워졌던 옛 교회 터이다.

'시온 마리아 교회'를 파괴한 이슬람 세력이 일어난 지역은 현재 홍해의 아덴만에 있는 소말리아 항구인 제일라(소말리아어로는 세일락)로서, 1490년 제일라에서 발흥한 이슬람 세력은 에티오피아 내륙 지역으로 급속히 세력을 뻗치면서 에티오피아 악슘까지 진출 하였다. 그러나 이보다 훨씬 오래전부터 예멘 및 소말리아 지역의 이슬람 세력과 에티오피아 내륙 지역의 기독교 국가 사이에는 종교적 갈등이 쌓여 있었다.

'아프리카의 카멜롯'으로 불리 우는 17세기 곤다르(Gondar)에 대규모 궁전을 건설했던 '파실리다스(Fasiledas)왕'은 이슬람 세력의 침입으로 파괴된 교회 옛터가 있는 곳에 1665년 다시 '옛 시온 마리아 교회'를 건설하였다. 이 교회 입구 벽에는 네잎 클로버 문양의 십자가가 새겨져 있고 내부 벽면은 예수와 성모 마리아 성화로 장식되어있다.

교회 정면 천장에는 이브가 에덴동산에서 발가벗은 채로 뱀의 유혹을 받아 선악과를 따먹는 모습과, 혀를 내밀며 그녀를 유혹하는 뱀의 모습, 부끄러움을 알게 된 아담과 이브가 나뭇잎으로 자신들의 은밀한 부분을 덮은 채 손으로 얼굴을 가리고 있는 모습 등이 실감나게 그려져 있다.

700년 이상 된 것으로 추정되는 성화와 '암하릭 어'로 쓰인 500년 된 양가죽 성경을 보고 나자, 안내자는 '지성소'라는 곳으로 인도했다. 빨간 천을 들어 올리자 왼손에는 칼, 오른손에는 창을 든 '성 가브리엘'과 '라파엘'이 지성소를 지키고 있는 그림이 출입 대문에 그려져 있다.

-
1665년 세운 옛 교회

-
지성소와 선악과 따는 이브

남녀 누구나 들어갈 수 있도록 1965년 지은 '새 시온 마리아 교회' 안에는 성경 속의 이야기를 중심으로 다양한 성화가 걸려 있었다. 교회 뒤편 중앙에는 암하릭 어로 쓴 성경책이 있는데, 성경의 내용을 알기 쉽게 삽화를 그려 넣어 암하릭 어를 몰라도 대략 무엇을 설명하는지 이해할 수 있다. 뒤늦게 지어진 교회라서 교회 그 자체에서 역사감을 느끼기는 어렵지만 이곳에 담긴 역사를 생각해 보는 것만으로도 가슴이 벅차올랐다.

　한편 시바 여왕의 아들 '메넬리크(Menelik) 1세'가 솔로몬 왕으로부터 가져왔다는 언약궤는 1950년 건립된 '언약궤 예배당(Chapel of the Ark)'으로 옮기기 전까지 '옛 시온 마리아 교회' 지하에 보관했다고 한다.

　'언약궤 예배당'은 예배당 주교와 평생 법궤를 지키는 한 명의 성직자만이 언약궤에 접근할 수 있으며, 이 성직자도 죽을 때까지 예배당에서 나올 수 없다는 이야기가 전설처럼 전해지고 있다. 더구나 일반

-
1965년 세운 새 교회

-
언약괘 예배당과 외부인과 담소하는 사제

인이 이 언약궤 예배당에 너무 가까이 접근하면 불에 타 죽는다는 무시무시한 이야기까지 내려오는 데다, 사방으로 철제 울타리까지 쳐져 있어 절대 들어갈 수 없는 곳이다. 그런데 아이러니하게도 하얀 사제복을 입은 예배당 지킴이 성직자가 교회를 둘러싼 철제 울타리까지 나와 누군가와 다정히 담소하는 장면이 카메라에 잡혔다.

언약궤가 일반 대중에게 널리 알려지게 된 계기는 지난 1981년 미국의 스티븐 스필버그 감독, 해리슨 포드 주연의 〈인디아나 존스-잃어버린 성궤를 찾아서(Raiders of The Lost Ark)〉라는 영화에서, 바로 언약궤의 행방을 찾으려는 추적자들의 이야기를 통해서였다.

미국의 '성경 고고학 조사연구소'의 설립자이자 로스앤젤레스 범죄 수사관이었던 '밥 코르누크(Robert Cornuke)'에 의하면 언약궤가

BC 586년 바빌론 침공 전 레위인에 의해 이집트로 옮겨졌다가 에티오피아의 타나 호수 '키르코스 섬'에 안치되어 800년간 지켜지다 그 뒤 AD 400년 에티오피아 왕에 의해 고대 왕국 악슘으로 옮겨져 '시온 마리아 교회'의 은으로 장식된 커다란 석관에 보관되어 있다고 한다.

그는 비록 언약궤를 눈으로 직접 확인은 못했으나, '시온 마리아 교회'에 성경에 언급된 언약궤 또는 그들이 2천 년 이상 실존 하는 것으로 믿어온 언약궤가 있다는 것을 믿게 되었다 한다.

영국 경제주간지 '이코노미스트'의 동아프리카 특파원이었던 작가 '그레엄 핸콕(Graham Hancock)' 또한 1992년 저서 '암호와 공인: 언약궤를 찾아서'에서 언약궤가 '시온 마리아 교회'에 보관되어 있다고 주장한다.

지난 2019년 2월 '론 와이어트(Ron Wyatt)'는 바빌론 침공 시 예루살렘 예레미야 동굴에 감춰 놓았다는 네 천사가 지키고 있는 언약궤를 발견하였다고 주장하며 영상을 보여 주기도 하였으나 근거 부족으로 인정받지 못하고 있다.

한편 유대인 고위 랍비 '슐로모 고렌(Shlomo Goren)'은 바빌론 침공 전 지금의 이슬람 '바위 사원(Dome of Rock)' 위의 '성전의 산(Temple Mount)' 아래로 안전하게 옮겨졌는데 무슬림에 의해 발굴이 거부되고 있다 한다.

성경 외경 '마카베오기(Maccabees) 하권'에서, "바빌론 침공 전 하나님 계시로 느보산 어딘가에 안치되었으며, 하나님이 다시 오실 때까지는 그 위치를 알 수 없을 것이다."라고 하듯이 우리는 행방이 사라진 언약궤에 어떤 일이 일어났는지 알지 못할 수 있다.

평생을 바쳐 언약궤의 행방을 추적해 온 예루살렘 바르 일란(Bar Ilan) 대학의 고고학교수 '가브리엘 바르카이(Gabriel Barkay)'는 언약궤는 바빌론 침공 시 이미 약탈되어 파괴된 것으로 결론 짓기도 하였다.

물론 나는 아프리카 여정에서 2600년간 행방이 사라진 '언약궤'를 직접 보리라고는 기대하지 않았다. 단지 복잡한 역사를 되짚어 보는 것만으로도 충분히 의미가 있었다고 생각했다. 언약궤를 보관했다고 하는 시온 마리아 교회도 현재 2개가 있는 셈이고, 언약궤 예배당도 2개가 있다. 4-6세기 경 처음 세워진 교회 옛 터에 17세기에 다시 세워 남성만 출입 가능한 '옛 시온 마리아 교회'와 조금 떨어져 20세기에 새로이 건축해서 누구나 출입이 가능한 '새 시온 마리아 교회'가 그것 이다. 또 현재 언약궤를 보관하고 있다는 예배당과 바로 그 옆에 신축 하고 있는 예배당은 향후에 언약궤를 옮겨 보관할 곳이라고 한다.

한 공간에 같은 이름의 교회가 함께 있고 그것이 모두 언약궤와 연관된 것 자체가 언약궤의 행방을 설명하는 어려움과 비견되는 것 같다.

에티오피아인 어느 누구도 악슘에 보관되어 있다는 언약궤를 본 일이 없지만, 이들의 마음속 어딘가에는 언약궤의 존재를 확신하는 믿음과 자부심이 있는 것이 확실해 보인다.

그럼에도 비밀의 공간에서 신비에 싸여 전설로 이어지며 지금까지 에티오피아 국민들의 강인한 믿음 속에 현실로 존재하는 언약궤는, 또 하나의 픽션인 '잃어버린 성궤를 찾아서'를 이어가는 후편에서 '넌픽션'으로의 실존을 기대하게 한다.

과거 역사에 대한 존재의 굳건한 확신과 신실한 믿음으로 꿈과 희망을 안고 현재를 살아가는 국민들의 모습에서, 언약궤의 실존 여부를 뛰어 넘는 그들의 성궤에 대한 열정과 소망을 나는 숙연한 마음으로 현실로서 담담히 받아들였다.

언약궤 '타보트' 와 종교축제 '팀카트'

에티오피아에서는 이 언약궤를 '타보트(Tabot)'라고 부르는 데, 모든 교회에서는 이 타보트의 복제모형(길이112.5x넓이67.6x높이67.5cm)을 만들어 지성소라는 곳에 상징적으로 보관하고 있다.

'팀카트(Timket)' 등 중요한 종교적 축제 때에만 타보트를 교회 지성소에서 꺼내 일반인들에게 공개하고 운반하는 행사를 하는데 이는 축제의 신성함과 경건함을 높여주기 위한 것이다.

에티오피아는 예수가 요단강에서 세례 요한에게 세례를 받으며 공생애를 시작한 날(신현 축일, 그레고리력 1월 19일)을 기념하여 3일 동안 '팀카트' 축제를 대대적으로 벌인다. 인간 예수가 요단강에서 세례를 받음으로써 신의 모습이 되었음을 기리는 최대의 축제이다.

요르단 강에서 행해진 예수 세례 의식의 재현이 중심 행사인 만큼, 축제는 강가나 고대 욕탕 유적지 등 물이 있는 곳에서 펼쳐지는데, 이렇게 '팀카트'가 펼쳐지는 물가를 '바히레 팀카트(Bahire Timket)' 라고 한다.

오늘날 팀카트 축제는 '신현 축일' 전날인 '케테라(Ketera)'에 언약궤를 상징하는 '타보트' 를 '바히레 팀카트'로 옮기는 행진으로 시작하는 데, 이는 예수가 세례를 받으러 세례 요한을 찾아가는 것을 상징한다.

축제 기간 동안 마을 사람들은 바깥으로 나와 타보트를 메고 거리를 행진하며 북을 치고 노래를 부르고 춤을 추고 밤 새워 예배하고 찬송하고 기도하며, 이는 다음 날 아침에도 계속 이어진다. 세계 어디서도 찾아볼 수 없는 구약 스타일의 예배 이다.
그들에게는 부활절과 크리스마스를 합쳐 놓은 것 같은 축제의 장으로서 특별한 시간이다. 여러 팀카트 중에도 수만 명이 성지 순례를 하며 경축하는 '악숨 팀카트'가 가장 유명하다.

랄리벨라의 유네스코 세계문화유산으로 지정된 11개의 지하 암반교회 중 가장 마지막에 세워진 '성 게오르기스 교회(Bete Giorgis)'는 암반을 15m 깊이로 정교하게 파 내려가 한눈에 전체적으로 십자가 문양 지붕이 보이는 가장 아름다운 교회이다.
'랄리벨라 타보트'는 '성 게오르기스 교회'로 부터 '팀카트' 장소까지 일단 행진으로 옮겨졌다가, 마을 중심 '허니 길(Honey Street)'을 따라 5 군데에서 멈추었다 다시 돌아오는데, 마지막 5번째 멈추는 곳이 '성 게오르기스 교회'가 내려다보이는 언덕이다.
여기서 사제가 "게오르기스 는 순교자들의 왕이요 빛이다" 라고 노래하면, 사람들은 "모든 교회 중에서 가장 아름다운 랄리벨라 교회여, 평화가 함께 할지어다 " 라고 화답한다.

07

새로 쓰는
아프리카 선사 미술

놓칠 수 없는 탄자니아의
콜로-콘도아 암벽화 답사

필자의 아프리카 여정에서 탄자니아 중부에 위치한 콜로-콘도아의 암벽화 답사는 결코 놓칠 수 없는 버킷 리스트 중에 하나였다.

학창시절, 우리는 미술시간에 인류 최초의 예술 활동으로 구석기 시대 1만5천~3만3천 년 전 원시미술로 1879년 스페인 '알타미라' 나 1940년 프랑스 남부 '라스코' 동굴에서 발견된 아프리카에서 이주한 크로마뇽인이 그린 벽화를 배웠다. 하지만 아프리카나 아메리카 원주민의 벽화에 대해서는 제대로 배우지 못한 채 이를 선사 암벽화의 전부라고 여겼다.

사하라와 남아프리카에 집중되어 30개국에서 수많은 이미지의 벽화가 발견되는 아프리카에서 가장 오래된 것은 남 나미비아 '아폴로 11' 동굴에서 1969년 발견된 7개 동물 이미지 암벽화이다. 이의 생성 시기는 대략 2만8천~2만6천 년 전으로 거슬러 올라간다.

탄자니아 콜로-콘도아 암벽화는 대략 9천 년 전으로 아프리카에서 두 번째 오래된 것으로 보인다. 특히 동굴이 아닌 오버 행(Overhang)

\-
현지 박물관장과 함께 하는 답사

으로 자연에 노출되어 수천 년을 버티며 세월을 견뎌냈다는 점에서
매우 독특한 가치가 있다.

　중부 탄자니아는 지질 구조적으로 '선 캄브리아 기(Precambrian)'(약
46억 년 전부터 약 5억 7천만 년 전까지의 지질 시대)의 기반암 끄트머
리에 형성된 외떨어진 화강암 언덕과 암반으로 조성된 낮은 안정된 방
패형의 땅으로 멀리 빅토리아 호수 북녘까지 뻗쳐있다.
　오늘날 이 지역은 코이산(Khoisan), 반투(Bantu), 그리고 닐로 하미테
(Nilo-Hamite) 언어를 사용하는 주민들 간의 교류로 인해 형성된 다양
한 문화가 특징이다. 2-30만 년 전 중석기 시대 이후 여기에 정착한 사
람들이 변화 하는 여건에 적응하며 다른 기술과 전통을 받아들이며 살

아 왔다. 그들의 신앙은 '붉은 암벽화'에 가장 잘 나타나 있다.

암벽화는 콘도아(Kondoa)지역부터 싱기다(Singida)지역의 북단에까지 걸쳐 있다. 사파리를 마치고 바바티(Babati)를 출발하여 80km 떨어진 작은 마을 콘도아(Kondoa)에 2시간30분 만에 도착하니, 콜로(Kolo) 암벽화 박물관이 작고 허름한 모습으로 나를 맞는다.

미리 연락받은 관장 겸 가이드 칼리브(Kalib)를 만나 현지민들이 주로 상식한다는 나물무침과 염소탕으로 간단히 점심식사를 한 후 박물관에 관한 간략한 설명을 듣고 현장답사에 앞서 사전 내부관람을 했다. 콘도아의 문화적 유물은 초기 석기부터 발견되고 있는데, 손도끼를 비롯한 다른 기본 도구들이 콘도아를 둘러싼 여러 지역에서 다양하게 출토되고 있다.

한편 후기 석기 시대 콘도아 지역에 많이 서식하였던 타조의 알은 식용으로, 알 껍질은 용기나 구슬 또는 몸치장 하는데 이용되었다. 중부 탄자니아 에서는 바오밥(Baobab)나무가 식량, 로프, 약제 등으로 이용되고 있으며, 콘도아 지역의 산다웨(Sandawe)부족은 거대한 바오밥 나무 내부를 집으로도 사용한다. 원주민들은 바오밥 나무에 신성한 존재나 신들이 살고 있다고 믿고 있기 때문에, 많은 종교 의식이 그 아래서 행해지고 있다.

리비아의 싸우는 자칼 암각화(1만년 전)

니제르의 두 마리 기린 암각화(6~7천년 전)

UNESCO가 2006년 세계문화유산으로 지정한 콜로 암벽화에 대한 본격적인 답사를 위해　일명 '마사지 로드'라는 비포장 진흙길을 덜컹거리며 달려서 콘도아 'B 구역' 암벽화 사이트에 닿는다.

　　사람과 동물 묘사에 더하여, 추상적 상징 표현을 담은 벽화는 오버행이란 지리적 위치로 비바람을 피해 그 보존상태가 세월의 흐름에 비해서 양호한 편이다. 눈길을 끄는 벽화로는 옛 묘사에서 빠지지 않는 춤, 두 남녀가 키스하는 로맨틱한 모습, 남녀 간 성행위 나아가 그룹 섹스까지도 과감하게 묘사한 그림이 있는가 하면, 현대인의 상상을 초월하는 흑백황적 네가지 칼러를 사용한 초현대적인 추상적 표현도 서슴지 않는다. B 구역에서만 66개의 성적 표현을 담은 그림이 발견되었다.

　　다시 박물관으로 돌아와 많지 않은 암벽미술 사진들을 찬찬히 둘러보았다. 콜로(Kolo)지역위주로 비교적 선명하고 예술 문화 가치가 높으며 흥미로운 장면을 찍은 사진들이다. 가운데 있는 한 여인의 저항이 명백한 데도 왼쪽의 두 남자가 그녀를 납치하는 장면, 귀걸이를 한 여인을 포함한 일곱 여인의 춤추는 모습, 건기 마지막에 내리는 첫 비를 축하하거나, 홍수로부터 피하는 듯 한 모습을 띠 모양으로 그린 목욕하는 19명의 사람들, 동물에 둘러싸여 가운데 사자 위에서 아치 형태로 춤을 추고 있는 11명의 모습 등이 대표적이다.

　　이러한 암벽화 이외에도 리비아의 1만 년 전 자칼과 니제르의 6~7천 년 전 기린 암각화 사진도 보인다.

　일단 도착 당일은 원주민 집에서 홈스테이를 했다. 저녁식사를 현지 주식인 나물무침과 염소탕으로 한 후 동네산책에 나섰다. 동네 꼬마의 안내를 받아 커피를 파는 마을 사랑방에 갔는데 큰 방에 TV 한 대를 설치해놓고 옹기종기 모여 앉아 보면서 이야기를 나눈다. 우리도 예전에 흑백TV 처음 나왔을 때 집안 마당에 동네 사람이 모두들 둘러 모여 앉아 레슬링, 권투 실황이나 쇼 공연 중계를 보던 생각이 들어 쓴 웃음이 절로 났다. 허름한 간이침대 나마 있는 방 하나를 배정 받아 자는데, 모기 아닌 벌레에 시달리다 아침에 일어나보니 온몸이 가렵고 물린 자국이 제법 보인다.

　다음날 아침식사로 어젯밤 솥 아궁이에서 준비한 감자구이를 먹으니 모처럼 입맛에 맞는다.

출발한 지 30분 만에 'D 구역' 입구에 도착해 1km를 걸어 올라가 둘러보고 박물관으로 되돌아오면서 콜로-콘도아 암벽화 1박2일 일정을 마쳤다.

'D구역'은 흑백 칼러로 표현한 대형 동물을 비롯한 전갈, 도마뱀 문양이 독특하게 다가온다.

그러면서도 특히 종잡기 어려운 문양으로 암벽 면을 가득 채워 놓았는데, 일부 동물에 대한 구체적 표현을 제외하고는 대부분이 추상적으로 선, 원, 면을 가지고 모양을 만들어 무언가를 의미하고 이를 나타내고 남기고 싶어 하는 그리고 누구에겐가 이를 강렬히 표현하고 갈망하고자 하는 무언의 잡히지 않는 메시지로 온 벽면이 덮여 있는 듯하다.

이곳 17개 동네 1,500 산등성 대피소에 흩어져 있는 오버 행 절벽 윗 옆면을 장식하고 있는 흑백황적 4색 암벽화는 현재도 기우제나 정령치료의식 대상으로 이용되기도 한다.

콘도아 암벽화는 1929년 영국의 나쉬(T.N.A. Nash)에 의해 서구 세계에 처음으로 소개 되었으며, 1935년부터 본격적인 연구에 들어간 인류 고고학자 메리 리키(Mary Leakey)는 암벽화가 5만 년 전으로 까지 거슬러 올라가서 만들어졌다고 주장한 바 있다.

전문가들은 암벽화를 그 독특한 스타일과 시대에 따라 크게 둘로 나눈다.

첫 번째가 매우 세련되게 그려진 오래 된 '붉은색 암벽화' 시대이

다. 그 시기가 최소한 7000년 이상으로 올라가서, 주로 붉은 색(황토색 또는 오렌지색 사용)을 이용하여 일반적으로 인간의 인습화된 묘사를, 때로는 활과 화살로 사냥 하거나, 춤추거나, 악기를 연주하는 모습을 담았다.

치마를 입고 이상한 머리 스타일 그리고 몸치장까지 한 몸매도 묘사하였다. 큰 동물 특히 기린, 가지뿔 영양이 흔히 보이고, 기하학적 모양 또한 자주 나타난다.

흥미로운 것은 사람의 경우 머리를 원으로, 팔다리를 직선으로 매우 간략하게 그리면서(stick-figure) 추상적 개념으로 묘사한 데 반해, 동물은 자연적 사실적으로 표현하였다는 점이다.

이러한 붉은 벽화는 언어적으로나 거리상으로 역시 암벽 예술로 유명한 남아프리카 산(San) 부족과 관련이 있는 산다웨(Sandawe) 부족이, 또는 현재도 북 탄자니아 이야시(Eyasi)호수 부근에 살고 있는 하드자(Hadza) 부족이 그린 것으로 여겨지고 있다.

그린 사람이 누구이던 간에 그들은 손과 손가락 이외에도 갈대나 막대기로 만든 붓을 이용하였다. 채색은 아마도 여러 가지의 색소를 동물 기름과 혼합해서 크레용 형태를 만들어서 사용한 것으로 보인다.

두 번째가 '흰색 암벽화' 시대이다. 그 시기는 1500년 전으로, 외부로부터 이 지역으로 이주한 반투(Bantu)어를 사용하는 주민에 의해 그려졌으며, 그 암벽화 전통은 200 년 전까지도 지속 되었다.

첫 번째 붉은색 암벽화 시기와 비교해 볼 때, 그림이 매우 단순하고 심지어 천연 그대로 거칠고 엉성하기 까지 하다. 점, 원, 사각형을 이용한 야생 또는 상상의 동물, 사람 모습과 형태를 닮은 양질의 그림도 보인다.

그런데 보다 최근에 그려진 많은 그림들이 이해 할 수 없는 모양을 보이는 데, 이는 대부분이 붓보다 주로 손가락을 이용 한데서 비롯되었다고 한다.

'기하학적 페인팅'이 큰 호수지역에서 적황색으로 일상화 되어 있는데 반해, 남아프리카 에서는 대부분이 백회색으로 그려졌다. 이 페인팅이 문자로 써서 표시하는 시스템의 초보 형태를 대표하는 지도 모른다.

콘도아에서 세밀한 선의 '붉은 페인팅'이 매우 대중적이었지만, 흰색 때로는 흑색 페인팅도 쉽게 찾아 볼 수 있다. '흑백 페인팅'은 적색 또는 노란 황토색 페인팅 보다 뒤의 시기 것으로 여겨진다. 적색 또는 노란 황토색을 사용하는 페인팅이 수렵 채취인에 의해 일찌감치 그려진 데 반해, 반투(Bantu)어를 사용하는 농민에 의해 그려진 '흰색 페인팅'은 1960년대 초반까지도 남부지역에서 지속적으로 그려졌다.

콘도아 암벽화의 가치와 그 미래

대부분의 초기 암벽화는 문자로 표기되는 심지어는 구술되거나 기억되는 역사보다도 앞서 만들어 졌다. 암벽화는 조상들의 세계관, 현실관, 그들의 가치와 믿음을 말해주고 있다.

그림은 실제로 초기 당시의 눈을 통해 보이는 의사소통의 형태라고 볼 수 있고, 그들이 성장한 근거를 밝혀주는 중요한 일면이기도 하다. 이 그림들은 단순한 상징이 아니라, 많은 경우 형태나 표시를 하는데 있어 자주 뛰어난 기교로서 묘사를 하고 당시 그리는 사람의 목표나 재능을 과시하였다. 암벽화는 해, 비, 바람 등의 자연환경에 그대로 노출된 바위에서도 7000년을 버텨 왔다. 중부 탄자니아에서 발견된 커다란 붉고 크림색의 동물 그림은 동아프리카에서 가장 오래된 예술 작품으로 대표되고 있다.

—
기린과 남생이 그리고 4인의 부족

이랑기 부족은 암벽화 장소에서 그들의 의식, 기우제나 치료의식
등을 거행하곤 하였으나, 현재는 이러한 암벽화 전통의 폐기에 따라
암벽화의 용도가 그들 조상에 속하는 역사가 되어 버렸다.

암벽화의 의미는 무엇인가?

왜 그림을 그렸고 이 암벽화의 목적이 무엇이냐를 밝히는 것은 매
우 어렵다. 많은 연구가들은 그린 사람들의 매우 깊은 신앙적 느낌과

현실에 대한 개념화를 이 암벽화의 '상징적 가치'라고 제시하였다. 그래서 자연 현상과 마을 치유를 통제 하는데 쓰이는 '자연 샤마니 즘'으로 설명하기도 하였다.

1931년 바히(Bahi)에서 부족장은 와미(Wami)부족이 12세대를 거슬러 올라가 암벽화를 그린 것으로 믿는다고 말했다. 바히에 거주하는 고고(Gogo)부족은 가뭄이 있을 때 마다 암벽화에 검은 옷과 소, 양을 바치고 맥주를 주조하여 마시며 도축된 동물의 기름을 바위 위에 문지르며 비 오기를 갈구하였다.

산다웨 부족은 그들 조상이 암벽화를 그렸다고 주장하면서, 그들은 바위 대피소를 '이곳에서 생명이 창조 되었다'는 '원주민 자궁(Aboriginal Womb)'으로 여겼다. 그림을 그리는 행위를 통해 대피소이자 자궁(Womb) 안에서 비를 내리게 하거나 사냥에 성공하는 힘을 얻을 수 있다고 생각했다. 또 다른 믿음에서는 암벽화가 어른이 되는 것을 주도하거나 죽음의 상황을 설명하는 비밀스런 통과 의례를 행하는데 사용되기도 하였다.

그 동안 예술 인류학자들은 '상징'을 구현하는 가장 고급 시각 예술로 그림을 꼽았으며, 현생 인류만이 그림을 그릴 수 있다고 믿어왔다. 하지만, 약 6~7년 전부터 그림이 현생 인류만의 전유물이 아니라는 증거가 나오기 시작하면서 상황이 변했다. 비록 안료를 이용하지는 않았지만, 뾰족한 도구로 벽이나 화석에 그림을 그린 사례가 나왔다.

2014년 스페인 지브롤터 지역 동굴의 바위에서는 4만 년 전 네안데르탈인이 새긴 해시태그(#)문양 음각화가, 같은 해 인도네시아 자바 섬에서는 약 54만 년 전 민물홍합 표면에 호모 에렉투스가 새긴 지그재그(Z) 무늬 음각화 화석이 나왔다. 2018년에는 스페인 남서부 동굴에서 네안데르탈인에 의한 6만5000년 전의 상징적 의미를 담은 벽화와 11만5000년~12만 년 전의 염색된 조개껍데기 장신구가 함께 발견되었다.

남아프리카공화국 윗워터스란드 대학 진화학팀은 2011년 남아프리카 남부 '블롬보스' 동굴에서 발견된 전체 그림판의 일부로 보이는 어른 손가락 두 마디 크기의 규산질 돌(실크리트) 조각의 무늬를 현생 인류가 그린 가장 오래된 그림이라는 사실을 증명해 보였다. 이 돌에는 붉은 황토(오커)를 도구로 그린 여섯 개의 붉은 평행선과, 이와 각도가 다른 세 개의 평행선이 그려져 있었다. 선의 굵기는 1~3mm로 매우 가늘었고, 일부 선은 서로 교차해 해시태그(#) 무늬를 이뤘다. 연구팀은 우선 돌이 출토된 지층의 연대를 측정해 이 그림이 7만 3000년 전에 그려져 종전보다 최소 3만3000년을 앞선다고 주장했다.

지금까지 현생 인류의 그림 중 가장 오래되었다고 알려진 것은 2012년 스페인 남부 엘 카스티요 지역과 2014년 인도네시아 술라웨시 섬에서 발견된 약 3만9000~4만 년 전의 그림이었다, 이번 발견으로 인류가 처음 추상적인 생각을 표현한 시점이 기존보다 크게 앞당겨질 가능성이 높아졌다.

가장 오래된 현생 인류의 그림마저 연대가 7만3000년 전 이전으로

–
추상과 구상이 어우러진 벽화

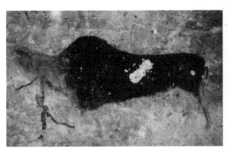

올라가면서, 현생 인류와 네안데르탈인, 호모 에렉투스 등 여러 인류가 모두 오래 전부터 상징을 이해하고 표현하는 능력을 갖추고 그림을 그려왔을 가능성이 높아졌다.

더구나 이번에 발굴이 이뤄진 동굴에서는 그림 외에도 뾰족한 물건으로 황토에 새긴 빗살무늬 작품이 발견되기도 했다. 방법에 상관없이 다양한 예술 활동이 있었다는 뜻이다. 인류가 생각보다 훨씬 일찍부터 '상징'을 만들고 이용해 왔다는 사실을 뒷받침하는 증거이다.

일찍부터 서구의 미술가들이 아프리카를 찾아 예술적 영감을 얻고 발상의 전환을 위한 기상천외의 아이디어를 발굴하여 초현대 추상적 예술로 승화 시킨다는 얘기를 어디선가 들은 듯도 하다.

인체를 추상화하는 영국의 대표적 조각가 '헨리 무어' 또한 아프리카 고대 원시미술에서 영감을 얻어 새로운 초현대 양식과 접목하여, 보는 위치에 따라 느낌이 다양해지는 생명력을 드러내는 작품을 창안한 것이 좋은 실례이다.

19세기 이후 유럽 중심의 역사관이 세계 문화사의 주류를 이루어 선사, 원시 미술사까지도 지배하면서 아시아, 아프리카, 아메리카의 벽화 미술이 사학계에서 조차 제대로 연구, 평가 받지 못하고 있었다.

반면 오히려 근현대 화가들이 사실추구 단계를 넘어서 추상적인 그리고 영혼정신 세계로까지 영향을 미치며 화단을 재장식하고 있는 현실을 직시한다면, 지금이라도 때 늦은 감이 있지만 시공을 뛰어넘는 글로벌한 미술사를 향한 객관적인 통찰과 집대성이 필요하다.

08

킬리만자로의 눈물

레모쇼 루트 7박8일 등정기

킬리만자로의 정상에는 더 이상 눈이 없다

아프리카 최고봉 해발 5895m 킬리만자로(Kilimanzaro)정상을 향해 베이스캠프로 부터 한밤중에 8시간 반 동안을 엄습해오는 고산 증과 체력 소모에 시달리면서 고도 1222m를 오르고 또 올랐다.

그러나 기대했던 만년설은 없었다. 산 정상뿐만 아니라 오르는 주능 선에도 분화구 둘레에도 눈은 안 보였다. 다만 분화구 내부에 기대 보다 적은 눈이 남아 있을 뿐이다. 산정의 동편으로는 눈이 전혀 없 고 서편으로 단지 남서북 경사면에 일부 빙하와 만년설이 있는 정도 이다.

지구온난화로 인한 문제다. 과연 언제까지 만년설이 남아있을지 모 르겠다. 어떤 저명한 지구환경학자는 빠르면 20년 안에 킬리만자로 의 만년설이 모두 사라질 수 있다고 경고한다.

필자는 올해 초 지구의 최북단 도시인 북극해의 러시아 무르만스크로 오로라를 보러 갔다가 지구온난화가 빚은 이상 고온 현상으로 밤 하늘의 별들만 바라보고 돌아온 쓸쓸한 경험이 있었다.

한겨울에 영하 67.8도까지 떨어져 세계에서 가장 추운 시베리아 베르호얀스크가 북극권의 기압 변화로 38도를 기록하여(2020.6.20) 역대 최고 기온을 갱신했다고 러시아 기상청은 밝혔다.

한편 뉴질랜드 웰링턴 대학교는 남극권 기온이 서태평양 적도 부근의 해수면 온도 상승으로 지난 30년간 지구 평균보다 3배 빠른 속도로 더워지면서 2020년 2월에는 18.3도라는 최고 수준으로 치솟았다며 펭귄의 피난 사태를 설명하고 있다.

헤밍웨이는 1936년 킬리만자로를 바라보며 대표작 "킬리만자로의 눈"을 썼는데, 만약 오늘날의 헤밍웨이라면 당시의 느낌이 와 닿았을지 과연 그 만한 작품이 나올 수 있을지 모르겠다.

아프리카의 최고봉이자 세계자연유산인 킬리만자로는 인간들이 만들어낸 지구 온난화의 재앙을 '눈' 아닌 "눈물"로 호소하고 있다.

산행코스 7개 루트 중 서편부터 시작하는 해발 2100m 에서 출발해 고도 3795m를 올려 정상 5895m를 거쳐 고도 4255m를 내려 1640m까지 하산하는 비교적 긴 '레모쇼(Lemosho) 루트'를 7박8일 맞춤형 산행으로 택하였다.

Moshi- Malangu Gate- 차가(Chagga)족 지하마을 - 커피농장

킬리만자로 7개 루트 중 가장 오래되었으며 짧아서 제일 많이 이용되는 '마랑구(Marangu 일명 Coca Cola) 루트' 입구로 가서 우선 가까이 있는 '차가(Chagga)' 부족 마을을 찾았다. 주로 킬리만자로 지역에서 생활하는 차가 족은 250년 전부터 해발 1350m에 위치한 지하 동굴에서 생활하는 고산족으로, 해발 1000m 이하의 평야지대에서 유목생활 위주의 '마사이' 족과의 충돌과 싸움을 피하려고 지하생활을 시작했다. 심한 가뭄은 자연에 노출되어 있는 마사이족에게는 그대로 영향을 미쳤으나, 차가족은 지하 동굴이란 자연 환경으로 인해 재해로부터 자유로울 수 있었다. 가축까지도 함께 지하에서 생활하는 차가 족은 동굴과 불과 1.2km 거리에 강과 지하로 연결되어 있었고 서로를 연결하는 지하통로가 4km에 달하는, 이름 그대로 '살아있는 박물관'으로 역사의 현장에 남아 있다.

원주민 문화의 하나로서 재래 커피 생성 과정을 보여주는 소규모의 전통적 커피 농장도 둘러보았다. '마랑구 게이트(Marangu Gate)'에 들려 모형 킬리만자로에 올라 사진도 찍고, 옆에 있는 전시관에서 국립공원 역사, 지질 지형 생성과정, 자생 동식물, 등반사 이야기 등을 사진과 해설로 돌아보니, 네팔 포카라에 있는 히말라야 8000m급 14봉의 등반에 관한 모든 것을 보여주는 '국제 산악 박물관(International Climbing Museum)'의 축소판 같은 생각이 든다.

Lemosho Gate (2100m)- Mti Mkubwa Camp (Big Tree 2650m)

산행 7k/ 2h40m

탄자니아 북녘에 위치한 킬리만자로의 남쪽 거점도시 모시(Moshi)
를 출발하여 서쪽 관문 론도로시(Londorossi)에 들려 포터 짐(20kg
이하) 검사 후 레모쇼 게이트(Lemosho Gate)에서 산행 첫발을 내딛
는다.

열대 우림답게 아름드리 높은 고목들로 멋진 풍광을 이루는 깊은
숲을 새소리 들으며 붉은 꽃 (Fire Ball Flower)을 군데군데 보면서
힐링하는 기분으로 오른다. 목적지 '음쿠바 캠프' 에 도착하니 이미
50여명의 등산객이 자리하고 있다.

제2일

Mti Mkubwa (2650m)- Shira Camp 1 (3610m) 산행 10k/ 5h40m

깊은 우림을 기분 좋은 걸음으로 나아가다 키보다 조금 더 큰 나무
틈으로 들어선다. 노란 꽃을 보며 물 흐르는 계곡을 지나 오르막으로
고개를 만나 오른편으로 산등성이를 향하다 평평한 언덕에 닿는다.
2개의 초대형 파오와 이동식 간이화장실까지 갖춘 호화판 단체등반
팀의 야영숙소를 지나면서 지나온 길을 되돌아보니, 앞 능선 안부를

거쳐 내리막으로 계곡을 지나 여기까지 오른 길이 선명하다.

여기서 오른편 릿지로 오르니 그 동안의 2m를 넘던 나무들이 점점 작아져, 산등성이 허리를 도니 이제는 허리 수준 밖에 안 된다. 그러면서 정상 '키보' 봉우리가 현란하게 눈에 비추이는데 생각보다 눈이 있어 보인다. 키보 봉우리를 보며 걷는 걸음은 '쉬라 캠프 1' 도착으로 멈췄다.

제3일

Shira Camp 1 (3610m)– Shira Camp 2 (3850m) 산행10k/ 4h30m

허리 수준의 나무조차 무릎 아래 관목으로 작아지며 바라보이는 키보 봉우리 시야에는 전혀 거칠 것이 없다가, 다시 나무 높이가 4m 정도로 올라선다. 여기서 부터 버팔로가 사는 지역으로 베테랑 가이드는 바로 발자국과 냄새를 맡으면서 멀지 않은 곳에 실제로 버팔로가 있음을 알려 준다.

산행 길 왼편으로 비상용 찻길을 만나는데 아래쪽은 '사자 강(Lion River)'으로, 15-20년 전 만하더라도 많은 사자들이 물을 찾아 모여들었다 하여 붙여진 명칭이다. 대부분이 무릎 근처 크기인 나무를 지나 사람 키 이상의 나무가 제법 보이는 지대로 오르면서 '캠프 2'가 보이는 지점에 닿는다.

버팔로가 산다는 여전히 4m가 넘는 상당히 우거진 나무들을 통과

하면서, 야생개가 즐겨 먹는다는 작은 영양 딕딕(dik-dik) 분비물도 본다. 곧 시냇물과 킬리만자로를 상징하는 200년 이상 된 '스네시오(Snesio)' 나무 3그루를 만나고(해발 3700m) '캠프 2'에 도착했다. 점심 식사 후 비몽사몽 휴식을 취했다. 고소 적응을 위해 키보 봉우리를 향하여 30분 올랐다 주위경관을 둘러보고 20분 만에 다시 내려왔다.

제4일

Camp2 (3850m)- Lava Tower (4600m)- Baranco (3900m)

산행10k/ 7h10m

오늘은 고도 적응일(Acclimatization Day)이다.
높은 데로 오르고 낮은 데서 잔다. (Climb High, Sleep Low)

뒤에 아무도 안 보여 내가 마지막 후미려니 하면, 어느새 인기척을 내며 누군가 내 앞을 스치며 시야에서 사라진다.
이제 '쉬라 릿지'도, 가장 높다는 성당 모습의 '카시드랄(Cathedral)'도 보인다. 당초 키보(Kibo), 마웬지(Mawenzi)와 함께 킬리만자로를 형성했던 '쉬라(Shira)'는 화산 폭발로 정상이 붕괴 되면서 고원(Plateau)으로 변모했는데, 왼편 방향으로 구름에 가려 있다.
출발부터 키를 넘던 나무는 사라지고 무릎 정도 나무가 듬성듬성 보이다 이것도 어느새 발목 높이 풀나무로 바뀌어 있다. 아직도 머리가 아프고 속은 여전히 쓰린 상태로 잠시 쉬었다 떠나는 데, 발 아래는 온통 돌덩이뿐으로 아래서 올라오는 구름으로 안개가 앞을 가린다.

왼편으로 '샤크 티스(Shark's Teeth)'의 구름 낀 선명치 않은 모습을 보면서 계속 오르다가 드디어 최고점 '라반 타워(Lavan Tower 4600m)'에 닿는다.

점심이 끝날 때부터 뿌리는 비 속을 내려오면서 킬리만자로의 상징 '스네시오' 나무를 실컷 보고 비 올 때만 생긴다는 작은 폭포도 즐긴다. 여기서 시작되는 계곡을 따라 걸으니 어느덧 키보 분화구 남쪽으로 접어들면서 '바랑코 캠프(Baranco Camp)'에 닿는다. 오전에 한때 산행 포기 까지 생각 할 정도로 고통이 심했던 머리와 쓰라린 속이, 점심 식사 후 한결 나아졌다. 정말로 멋진 고도 적응 하루였다.

제5일

Baranco (3900m)- Karanga (3995m)　산행6k/ 4h30m

출발 후 계곡을 지나 바로 스틱도 접고 네 손발로 가파른 길을 오른다. 앞뒤에서 무거운 짐을 지고 변변한 우장도 없이 오르는 포터들 모습이 측은하고 안타깝다. 비가 보슬비 수준을 넘어 점점 가랑비가 되더니 이윽고 주룩주룩 뿌리기 시작한다. 완전히 우비 우장을 갖춘채 한발 한발 내딛다 보니 어느덧 오늘의 최고 피크 4200m 능선에 닿는다.

비는 계속 처량하게 내리는데 주위는 바위에 풀들이 좀 있는 고산 황무지의 연속으로, 내리막을 거쳐 다시 오르막 능선에 위치한 캠핑장에 도달한다. 그리도 뿌려대던 비는 가랑비 수준으로 약해졌지만 여전히 내리고 있다.

쉬라(Shira), 레모쇼((Lemosho), 마차메(Machame), 움브웨(Umbwe) 등 4개 루트가 만나는 캠핑장은 100명 이상 되는 등산객으로 붐비고 있었다. 비에 젖은 옷을 텐트 안에 널어놓고 하룻밤을 지내니, 밤사이 비는 멎고 아침에 일어나니 해가 떠 있다.

제6일

Karanga (3995m)– Barafu (4673m) 산행4k/ 3h30m

출발하자마자 햇빛이 바로 사라지고 구름이 가득 차 다시 옷과 모자를 따뜻이 갈아입고, 상당한 오름세로 풀포기조차 보기 드문 돌무더기군 능선을 꾸준히 오른다. 그렇게 능선을 오르다 보니 목적지 주능선이 보인다.

살짝 내리막 후 마지막 능선을 올라가는데 오르막 초입에서 작은 돌밭을 지난다. 곧 너덜지대를 거쳐 바위군으로 이어지다 드디어 주능선으로 붙는데, 초반의 작은 돌밭은 곧 바위시대로 연결되면서 '바라후 베이스 캠프(Barafu Base Camp)'에 도착하였다.

등반 7개 루트 중 마랑구(Marangu), 롱가이(Rongai)를 제외한 5개가 합류하는 데다, 키보 분화구를 오르내리는 등산객으로 캠핑장은 도떼기시장처럼 엄청 붐빈다. 한 300~400명은 될 것 같다.

날씨는 햇빛에 구름도 보이고 살짝 비도 뿌린다. 오늘 밤 정상 등정을 위해 2:00 점심 식사를 하고 3:00 취침 후 5:00 일어나 간단히 저녁 식사를 하고 짐을 정리하였다. 다시 저녁 6:40 잠자리에 들었다 밤 10:00에 일어났다.

제7일

Barafu B.C(4673m)-Stella Point (5756m)-Uhuru (5895m)-Barafu B.C-Mweka(3048m) 산행 17k(5+12)k/ 16h(8:30+7:30)

한밤중 11:30 예정대로 정상을 향해 출발하여 너덜지대를 거쳐 암벽을 지나 가장 높이 위치한 캠프 사이트(4800m)를 자정 12:40 통과하며, 작은 돌밭을 지나 다시 이어지는 너덜을 계속 오른다. 몰려오는 졸음과 불청객 고산증에 시달리며 한 걸음 한 걸음 옮겨나갔다. 잠시만 멈춰서도 훨씬 수월하다. 가다 쉬기를 몇 번이나 반복하며 조금씩 나아가다 햇살이 비춰 오니 생체 리듬상 졸음이 가시면서 힘이 난다.

당초 기보 분화구 스텔라 포인트(Stella Point)에서 바라보려던 해돋이를, 오르는 도중 앞에 보이는 마웬지(Mawenzi) 분화구 너머로 떠오르는 장관으로 대신한다.

드디어 아침 7:00 분화구 능선 '스텔라 포인트(5669m)'에 오르니 새 힘이 솟구친다. 컨디션이 7시간 반 만에 돌아오면서 쉬엄쉬엄 1시간 만에 '우후루 피크(Uhuru Peak 5895m)'에 다다른다.

서쪽 방향으로 구름에 싸여 신비스런 자태를 드러내는 탄자니아에서 두 번째로 높은 '메루 산(Mt. Meru 4565m)'의 풍광이 일품이다.

8:30 정상을 출발해 30분 만에 '스텔라 포인트'로 돌아와 9시에 하산하는데 2시간이면 '베이스 캠프' 까지 내려오겠다. 내리는 도중 '돌 박물관(Stone Museum)'이라 일컬을 만한 '천연 동물 석상군'을 즐기고 경치를 보느라 30분이 소요되어 11:30 도착하니, 오르기 8시간 30분 걸린 거리를 2시간 30분 만에 내려 출발부터 총 12시간이 소요되었다.

오후 1시까지 자고 간단한 점심 식사 후 2시 출발한 내리막길은 4시가 넘어서 잠시 꽃과 풀을 드문드문 보여 주다, 다시 급 내리막에 접어들면서 나무가 많아지고 키도 발목에서 무릎까지 올라온다. 급기야 '하이 캠프(High Camp 3950m)' 가까이 오니 키를 훨씬 넘는 4-5m 나무가 제법 무성하게 우거져 있다. 앞으로도 '음베카 캠프' 까지 3.5k/2h 를 더 가야 하는 데, 이번 전체 산행 8일 중에 오늘이 가장 많은 발품을 파는 날이 되겠다.

Mweka (3048m)- Mweka Gate (1640m) 산행10k/3h30m

출발 전 가이드를 비롯한 지원팀과 노래와 춤으로 무사 완등을 자축하고 팁을 전달하는 마무리 파티를 가졌다. 이어지는 내리막길은 향나무 같은 침엽수군을 통과하다, 눈 있는 킬리만자로 전체 모습이 산행지역 내에서는 가장 잘 보인다는 전망 포인트에서 소중한 전경을 담았다.

출발 후 2시간이 지나 울창한 밀림으로 접어들면서, 킬리만자로에서 가장 오래된 나무중 하나를 만났다. 이어서 앞으로 게이트 까지 1시간 걸린다는 누운 표시나무를 보면서 걷다 보니 광장 같은 넓은 공터를 만나는데 여기서 부터는 정돈된 찻길이다. 일반차량은 통행이 안 되고 비상용 차량만 가능하다는데 마침 한대의 앰뷸런스가 올라갔다가 얼마 안 되어 바로 내려온다. 내리는 도중에 도로 정비용 불도저도 보인다.

드디어 12시 정각 출입문에 닿으면서 킬리만자로 등정 대단원의 막을 내렸다. 게이트 리셉션에서 '완등 증명서'를 받고, 7박8일 '레모쇼 루트 (Lemosho Route)' 74km/50시간 걸린 킬리만자로 산행의 종지부를 찍었다.

–
산행 출발 레모쇼 게이트(2019.1.17)

–
Fire ball flower

정상에서 바라보는 마웬지(5,149m) 너머 일출

산행 종착 음베카 게이트(2019.1.24)

09

리빙스턴이 만난
빅토리아 폭포

리빙스턴이 만난 '빅토리아 폭포'

아프리카 내면으로 들어가는
길을 열고 싶었던 선교사

이제 남미의 이과수, 북미의 나이아가라와 함께 세계 3대 폭포 중에서 마지막으로 남겨 두었던 아프리카 빅토리아 폭포(Victoria Fall) 탐방에 나선다. 에티오피아 아디스아바바를 출발해 7시간 만에 도착한 짐바브웨 빅토리아폭포 공항의 후진국답지 않은 깔끔하고 정돈된 건물과 내부 인프라에 좋은 첫 인상을 가지고 입국수속하면서 잠비아를 자유 통행할 수 있는 유니 비자($50)를 받는다. 공항건물 밖으로 나오자마자 현지 원주민이 토속 춤과 노래로 환영을 한다.

도착한 '빅토리아 폴스(Victoria Falls) 타운'은 19세기 후반 잠베지 강가의 무역기지로 세워진 마을로서 처음 지명은 올드 드리프트(Old Drift)였다. 이 작은 마을이 세워지고 나서 한 세기가 지난 뒤 말라리아가 창궐해 올드 드리프트 기지는 오늘날 잠비아의 리빙스톤(Livingstone) 타운으로 옮겨졌다.

이곳 토박이 원주민인 '콜로로' 족의 현지 로지 어로 '모시 오아 툰야' (Mosi-Oa-Tunya 천둥소리가 울려 퍼지는 물안개)라고 불리

　는 잠비아와 짐바브웨 사이에 위치한 빅토리아 폭포(이하 빅폭)를, 1855년 스코틀랜드 탐험가 리빙스턴이 잠베지 강의 '리빙스톤 섬'에 도착하여 백인으로는 처음으로 서구에 소개하면서 당시의 영국 빅토리아 여왕 이름을 따서 명명하였다.

　리빙스턴은 맑게 갠 날 멀리 숲속에서 은은히 들려오는 천둥소리를 듣고는 그 소리를 쫓아서 걸어가다가 뽀얗게 연기처럼 피어오르는 물안개를 보고 따라가 마침내 폭포를 만났다. 당시 원주민들은 폭포에 악마가 산다고 생각하였는데, 그 어마어마한 소리 때문이었다. 실제로 멀리서 들으면 빅폭은 천둥이 우르릉거리는 소리를 내고, 하늘로 흐르는 물줄기는 거대한 연기처럼 보이면서 엷은 안개, 물보라 심지어 빗줄기로도 보인다.

빅폴은 밑으로도 어마어마하게 떨어지지만 하늘로도 흘러간다. 1989년 UNESCO가 세계자연유산으로 지정한 '빅토리아 폭포'는 짐바브웨에서 사용 중인 명칭으로, 잠비아는 원래의 이름인 '모시 오 아 툰야'를 공식적으로 사용 중이며, 세계유산 목록은 두 이름을 다 인정하고 있다.

'세계에서 가장 큰 커튼 (The Greatest Curtain in the World)'이라고도 불리는 빅폴은 장마철에는 800m 높이까지 치솟아 오른다. 이 때문에 흩날리는 물보라가 48km 떨어진 곳에서까지 연기처럼 보일 정도라고 한다.

폭포가 떨어지는 주변 500m 안팎은 뿌연 물안개로 자욱한데, 이 때문에 해가 뜨면 무지개, 달이 뜨면 달무리가 생긴다. 폭포 아래로 펼쳐진 '보토카(Batoka) 협곡'의 맞은 편 절벽에서 흘러내리는 물줄기의 포말은 강 건너편까지 빗줄기가 되어 옷과 카메라 렌즈까지 적신다.

해발 고도 885m에 위치한 빅폴은 1억5천 만 년 전 뜨거운 화산의 용암이 지하로 부터 분출되면서 생성 되었으며, 현지어로 '위대한 강'이라는 잠베지 강 상류로부터 80km 지점인 중류에 자리 잡고 있다. 폭포수로 인한 바토카 협곡의 침수는 지금도 계속 폭포를 상류 쪽으로 이동시키고 있다.

　짐바브웨 빅폴 매표소를 지나 폭포의 국립공원 역사, 지질지형 생성과정, 자생 동식물, 현지 역사, 구성 내용 등에 관한 안내를 둘러보고, 폭포에서 좀 떨어진 뒷길로 이동했다. 동쪽(Eastern Cataract) 폭포 부터 서편으로 안락의자(Arm Chair), 무지개(Rainbow), 말발굽(Horseshoe), 리빙스턴 섬, 주(Main), 악마(Devil's Cataract) 순으로 6개 폭포를 돌아보며 다시 돌아오는 코스이다.

　우렁찬 천둥소리를 들으며 뭉게뭉게 피어오르는 물안개 속에 흩뿌리는 옅은 물을 온몸으로 적시다 보면 원주민들이 왜 이 폭포를 '천둥치는 연기 (The Smoke that Thunders)' 라고 이름 붙였는지 알

수 있었다. 폭포는 벼랑위에서 밑으로 떨어지는 것이지만 물의 소용
돌이가 너무 거세어서 물줄기가 마치 용틀임하며 위로 솟구치는 느
낌이다. 하늘로 치솟는 용틀임을 바로 바라보면서 첫 전망 포인트에
접근하니, '이스턴'은 좀 멀리 떨어져 있고 옆의 '암 체어'는 적은 규
모인데 바로 앞으로 '레인 보우'가 다가온다.

해가 나면 폭포 아래에 무지개가 생긴다 하여 이름 붙여진 세계 3
대 폭포 중 가장 긴 108m 높이의 '레인 보우' 폭포는 정말로 아름답
고 멋진 풍광이 6개 폭포 중 압권이었다. 폭포의 포말 속에 떠있는
찬란한 무지개는 나를 황홀하게 한다. 왜 6개 폭포 중 첫 번째 뷰포
인트를 여기 잡았는지 충분히 이해가 된다.

'말발굽'은 폭포가 흘러내리는 절벽이 그렇게 생겼다 하여 붙여진
명칭으로, 갈수기에는 거의 폭포 수준을 벗어나 가는 물줄기 정도가

된다. '메인'은 역시 이름답게 수량이 가장 많고 웅장한 자태를 보여주고 있다.

그 사이 위로 리빙스톤이 처음 도착하여 폭포를 보았다 하여 이름 붙여진 '리빙스턴 섬'이 있고, 여기서 돌들을 징검다리 삼아 폭포 위를 지나 '악마의 풀(Devil's Pool)'로 불리는 조그만 웅덩이가 절벽 끝에 있는데 이곳에서 다이빙도 하고 헤엄까지 즐기는 스릴을 맛본다.

가장 서편 '악마의 폭포'는 한 뭉텅이의 폭포수로 마지막을 맛깔스럽게 잘 장식하고 있다. 이어 영국 제국주의가 아프리카 경략을 위한 3C정책의 일환으로 1902년부터 1904년까지 시공한, 대륙을 남북으로 종단하는 카이로(Cairo)-케이프타운(Capetown) 철도는 완공되지 못했지만 그 과정에서 1905년 세워진 잠베지 강 계곡 위 기찻길을 돌아본다.

짐바브웨 사이드에서 간단히 통관 수속을 마치고 길이 198m 높이 108m의 빅폴 철교를 지나다 다리 중간에서 번지 점프대를 보게 되니, 2011년 뉴질랜드 남섬 밀포드 트레킹 갔다 세계에서 가장 깊은 134m 계곡 번지 점프를 한 추억이 새삼 떠오른다.

다리 위로 한 폭의 병풍을 펼친 채 폭포수를 쏟아 내면서, 피어오르는 연기 속으로 위용을 뽐내는 폭포의 자태를 다시금 바라보았다. 그 아래로 저 멀리까지 가물가물 내려다보이는 헬리콥터가 날아다니는, 넓고 깊은 웅장한 바토카 협곡의 규모는 왜 빅폴이 세계 3대 폭포중의 하나로 손꼽히는지 실감나게 해준다.

헬리콥터를 보고 있으려니 불현듯 빅폴을 지상의 눈높이에서는 보았으니, 이제 하늘에서 굽어보며 전경을 즐기고 싶다는 욕망이 샘솟는다. 하늘에서 빅토리아폭포의 전경을 즐길 수 있는 두 가지 방안 중 누구나 이용할 수 있는 헬리콥터(25분/$299) 보다는 경비행기를 활용한 스카이다이빙($336)에 더 마음이 끌린다. 리빙스턴도 빅토리아 폭포를 처음 보고는, "너무 아름답잖아. 이건 하늘에서 천사의 눈으로 봐야 할 모습이야." 라고 말했다 하지 않던가!

평소에 관심은 있었지만 시도할 기회가 없었는데, 마침 이곳에서 열대 우림과 사바나 초원을 굽어보며 빅폴 전체를 조망할 수 있는 좀처럼 찾아오기 어려운 창공 도전 기회라 생각되어 기꺼이 나서기로 했다.

비행장 도착 후 간단히 요령을 숙지 받고 경비행기에 타서 안경에 덧붙여 고글을 쓰고 10,000ft (3,300m) 상공까지 올라서 점프해 내려오다 6,000ft 에서 낙하산이 펴지면서 4,000ft 에서는 완전히 펴져 손으로 낙하산의 방향을 조정하며 내려온다. 낙하산이 펴지는 순간, 순식간에 잡아채면서 온몸을 끌어 올리는데 약간의 구역질을 느끼며 속이 좀 메슥메슥 한 게 머리도 조금 아찔한 듯하다. 사전요령 숙지 시 설명을 못 들어 미리 마음의 준비를 못 한 것이 조금 아쉽다.

경비행기 이륙 후 바로 멀리 빅토리아 폭포, 빅폴 타운, 잠베지 강, 그리고 강 너머 잠비아 리빙스턴 타운을 보면서 서서히 회전하여 25분 체공 후, 비행기에서 탈출 점프하면서 얼굴 들고 활짝 웃으며 배는 내밀고 궁둥이는 뒤로 당기며 교관과 한 몸 되어 내려온다. 그러

-
비토리아 폭포가 보이는 스카이다이빙

다 낙하산이 우리를 낚아채듯 별안간 위로 끌어당기며 순간적으로
펴지면서 고글도 벗어 버리고 2,000ft 구간을 좌우 두 손을 써서 낙
하산을 조정하며 바람을 타고 즐기면서 다시금 빅폴을 내려다 보다
6분 만에 하강 착륙한다.

　빅폴 주변을 선회하니 장엄하게 펼쳐진 빅토리아 폭포와 굴곡지고
가파른 주변 지형이 한눈에 들어온다. 잠베지 강 줄기를 따라 고개를
돌리면 강물은 끝이 보이지 않는 지평선 너머로 흘러간다. 빅폴 첫 백

인 방문자인 리빙스턴도 보지 못한 모습을 즐기는 호사를 누려본다. 기회가 되면 언젠가 다시 도전 하고 싶다는 진한 아쉬움이 남았다.

빅폴 국립공원 입장료는 땅(폭포 $30, 승마 $15), 하늘(스카이다이빙, 헬리콥터 $10), 물(크루즈 $10)이 각기 다르다.

잠베지 강 석양크루즈(Sunset Cruise)는 빅폴 투어에서 놓쳐서는 안 될 코스이다.

앙골라에서 발원하여 잠비아와 짐바브웨의 국경을 가르며 인도양으로 흘러가는 2,700여km의 잠베지 강은 중류에서 절벽을 만나 빅토리아 폭포로 변신한다. 방금 전까지 요동쳤던 격랑의 폭포를 어디서 보았냐는 듯, 강물은 잔잔하고 평화로이 흐른다. 잠베지 강은 수량이 많고 강가의 숲이 절경이다. 강 주변으로 분위기에 어울리는 멋들어진 별장들이 눈에 들어온다.

3시간 동안 계속되는 크루즈는 호젓한 분위기 속에서 해지는 노을의 분위기에 맞까지 가미된 멋진 선상 디너가 제공된다. 하늘을 물들이는 황혼의 아름다움은 어둑어둑해지는 강물의 고요함과 절묘한 조화를 이루며, 산 없는 대평원의 끝없는 광활함과 아우러지면서 내 마음을 뭉클하고 황홀하며 행복스럽게 끌고 간다.

옆 테이블의 오스트레일리아에서 신혼여행을 온 이탈리아 출신 신랑과 영국 출신 신부 커플의 행복으로 가득 찬 눈과 아름다운 드레스는 뉘엿뉘엿 저물어가는 황혼을 배경으로 가히 환상적인 영화의 한

-
잠베지강 석양

호텔에서 바라보는 폭포와 다리

장면을 연출한다.

강변의 하마, 악어 그리고 나르는 새들과 함께 뉘엿뉘엿 넘어가는 석양을 바라보았다. 태양은 스스로를 태우면서 강가를 노랗고, 누렇고, 붉고, 검붉게 순차적으로 물들이며 어둠속으로 사라져 갔다. 그 멋진 해넘이 경관은 이번 여정 중의 하이라이트로 길이길이 기억될 아쉬움과 추억으로 남게 될 것이다.

저녁에는 임팔라와 멧돼지가 거니는 V.F. Safari Lodge로 가서 잠시 진열된 전통 공예품을 둘러보고 현지 동물요리 전문으로 알려진 '보마 뷔페(Boma Buffet)' 식당에 갔다.

전통 쇼는 드럼 위주로 리듬을 타는 흑인 특유의 춤과 유연한 몸동작이 흥미를 끌었으나, 뷔페에 야생 동물 구이는 별로 없고 그 나마 짜서 거의 먹지 못하면서 기대에 크게 못 미쳤다. 현지 막걸리 '찌부쿠'가 그 나마 위안이었다.

한편 1906년 처음 지어진 가장 선망 좋은 '빅토리아 폭포 호텔(Victoria Falls Hotel)'은 역시 영국의 아프리카 경영을 대표하는 살아있는 증표이다. 리빙스톤 이후 영국 식민 당시의 자연과 삶을, 호텔 내 도서관과 로비에 있는 옛 사진, 그림과 상호 비교하면서 잠시 상념에 젖어 들기도 하였다. 본관을 지나 사각형 정원으로 들어서니 왼쪽에는 개관 후 300만 명의 투숙객을 실어 날랐다는 마차가 보였다. 정원 정면으로 탁 트인 숲속으로 물안개가 피어오르는 빅폴 경관을, 멀리 오른편으로 보이는 빅폴 다리를 다시금 음미해 본다. 정원 바로 오른편 '정글 정션 레스토랑(Jungle Junction Restaurant)'으로 가는 길 왼쪽을 따라서 그리고 거의 다 가서는 오른편 공간에 조각상 들이 전시되어 있다. 인물이나 사물 모두가 아프리카의 혼을 담아 무언가를 전달하고자 하는 듯한 작가의 영혼이 담긴 작품들이다.

1906년 지은 빅토리아 폭포 호텔

잠비아와 짐바브웨의 빅폴 입구에는 영국인 '데이비드 리빙스턴
(David Livingstone, 1813~1873)'의 동상이 서 있다. 탐험가이자
선교사인 리빙스턴이 서양인으로 처음 발을 디딘 곳이고 그가 빅폴
을 서방세계에 처음 알린 곳이라 그의 이름을 따서 명명한 동네가 잠
비아 '리빙스턴 타운'이다.

우리에게 아프리카 탐험가로 잘 알려진 리빙스턴은 스코틀랜드에
서 태어나 신학과 의학을 공부하고 런던 선교회의 일원으로 1841년
남아프리카에서 선교 사업을 시작한 이래 선교와 교역 루트 개발을
위한 세 차례의 탐험을 결행하였다.

1849-1856년 제1차 탐험에서 최초로 칼라하리 사막을 지나 은가
미 호수(Ngami)를 보고, 잠베지 강에 도달하여 강을 따라 빅토리아
폭포에 이르렀고 나아가 백인으로는 처음으로 인도양과 만나는 아프

폭포를 지켜 보는 리빙스턴

리카 횡단에 성공하였다. 이때 그는 노예무역의 비참한 실상을 목격하게 되었다. 이후 노예제도 폐지투쟁을 하면서 1858년 2차 탐험에서는 잠베지 강 유역을 탐사하던 중 포르투갈 노예상인으로부터 수백 명의 노예를 해방시키다 정부 간 분쟁에 휘말리기도 하였다.

3차 탐험에서는 1866년에 므웨르 호수, 뱅웰루 호수를 찾았고 1871년 콩고 강을 답사하면서 중부 아프리카를 둘러보고 나일 강의 근원을 찾겠다고 나섰는데, 이때 열병에 시달리다 스탠리 탐험대를 만나 구조되기도 하였다.

1873년 극도의 쇠약과 질병으로 사망하여 미이라로 만든 시신은 10개월간 2,000km를 이동하여 다르에스살람까지 운구 되었다. 그의 시신은 잔지바르 '스톤 타운'을 거쳐 런던으로 돌아가 국장으로 장례를 치르었으며 웨스트민스터 사원에 안치 되었다.

그는 탐험가이자 의사, 선교사이자 노예폐지론자로서 아프리카에 대한 서구의 태도에 큰 영향을 미친 사람이다. 당초부터 미션을 가지고 아프리카로 가서 선교를 주목적으로, 탐험은 선교의 거점을 탐색하기 위한 수단이라는 신념을 가지고 임했지만, 역사는 선교사보다 탐험가로서의 그를 보다 강렬히 기억하고 있다.

"나는 아프리카의 내면으로 들어가는 길을 열고 싶다. 그러지 못하면 돌아오지 않을 것이다." 라고 말했듯이, 그는 선교사로서의 사명감을 가지고 고난의 여정을 힘차게 헤쳐 나갔다. 그러나 선교를 위한 교역 루트는 상아 상인이나 군대 보다 노예 상인이 먼저 이용했다.

그 결과 인도양 중심의 노예무역이 활발해 지면서 잔지바르는 중앙 아프리카 최대 노예시장으로 성장하였다. 1871년 영국 정부는 그의 청원을 받아들여 잔지바르 노예시장을 폐쇄시켰다.

리빙스턴은 탐험으로 발견된 아프리카 지역을 식민지로 만들어서 손쉽게 기독교를 전파하여 계몽시켜야 한다고 주장하는 등 아프리카에 대한 식민 통치를 정당화 하는 제국주의 유럽인의 사고방식에서 자유롭지 못했던 것도 사실이다.

그러나 그는 아프리카의 잠재력을 믿었다. 그런 의미에서 그는 아프리카가 아닌 영국에서 아프리카 민족주의의 선구자였다는 평가를 받는다. 잠비아뿐만 아니라 아프리카에 대한 그의 애정은 분명하며, 이를 증명이라도 하듯이 아프리카인들은 지금도 이 빅토리아 시대의 백인에게 전통적인 존경심을 잊지 않고 있다. 그는 아프리카라는 천둥 치는 연기 속으로, 심연을 알 수 없는 그 속으로 거침없이 들어갔다.

콜럼버스가 지금의 아메리카라는 땅에 상륙하고 그 존재를 유럽에 처음으로 알린 탐험가로 인식되어야 하듯이, 리빙스턴은 '모시오아툰야' 폭포를 발견한 것이 아닌 최초로 보았던 서양인으로 기록되어야 하며, '빅토리아 폭포' 또한 모시오아툰야 라는 원래 원주민이 부르던 이름을 되찾아야 한다.

빅폴을 리빙스턴이 발견하였다고 쓰는 역사는, 아메리카 원주민인 인디언 부족들이 이미 살고 있었던 아메리카 대륙을 사람이 살지 않는 미지의 땅으로 콜럼버스가 처음 발견했다고 서술하는 서양의 역사 인식과 다를 바가 없다.

3B정책 vs 3C정책

19세기 후반 들어 본격화 된 유럽 열강들의 팽창주의적 식민 제국
주의의 선두 주자 영국은 1882년 이집트 점령을 계기로 3C 정책으
로 세계 지배와 식민지 정책에 나섰다. Cairo와 Calcutta를 연결하
는 인도 정책과 Cairo-Cape Town을 축으로 하는 아프리카 종단정
책을 두 축으로 하고 Cape Town-Calcutta를 잇는 희망봉 항로를
군사 전략적인 안정 축으로 하는, 카이로를 중심으로 하는 3개의 축
으로 구성된 영국의 세계정책 이다.

그 기본적인 골자는 영국에 의한 인도 보호로서, 영국의 인도항로
를 보호하고 다른 열강의 인도와 동아시아 진출을 제지함을 주목적
으로 한다.

19세기 말 러시아의 남하정책과 아프가니스탄에서 충돌하고, 프랑
스와는 카사블랑카와 마다가스카르를 연결하는 아프리카 횡단정책
의 위협을 받으면서 1898년 수단 남부에서 위기를 초래한다.

한편 20세기 들어서 독일이 신흥 경제대국으로 성장하면서, 영국
의 바다 지배 특히 인도와 동아시아에 대한 항로의 독점을 타개하
고 새로운 교역로를 창출하고자, 바그다드 철도 수주에 주력하면서
Berlin-Byzantium-Baghdad를 연결하는 3B 동서횡단 정책으로
대립의 구도를 보인다.

3개의 축으로 구성된 3C 와는 달리 1개의 연결망을 의미하는 3B 정책은, 바그다드 철도의 완성으로 구교역로인 런던-수에즈-인도 해상항로에 대항하여 쾰른-빈-이스탄불-페르시아 만을 육로로 연결하여 인도와 동아시아로 가는 새로운 길을 만들자는 것이다.

독일이 대규모 상품시장으로 발전할 잠재력을 보유한 동아시아로 진출할 새로운 교역로를 개척하고자 했다는 면에서, 3B 정책은 군사 전략적 요인 보다는 경제적 요인이 보다 많이 작용한 것으로 보인다. 이로서 3B 정책은 영국의 3C 정책 3축 중 가장 주요한 카이로(수에 즈)-캘커타 축을 위협하는 정책으로 향후 껄끄러운 관계를 지속하게 되었다.

10

사바나 초원 사파리
그리고 바다 승마

사바나 초원 사파리 그리고 바다 승마

이색적으로 만난 사파리 이야기

'사파리'란 사전적 의미로 사냥, 탐험 등의 원정 여행을 의미하며, 스와힐리 현지어로는 '여행'을 뜻한다. 마냐라 호수, 응고롱고로 분화구, 타랑기레 초원, 돌리 농원, 빅토리아 폭포 강변, 메루 산기슭, 인도양 만조해변에서 각기 다양한 특색 있는 사파리를 즐기는 한편 이를 오픈 4륜구동 차량 외에 말 또는 낙타를 타고 돌아보는 이색적인 경험을 맛보았다.

마냐라(Manyara) 호수

모시(Moshi)를 출발하여 한 시간 후 도착한 아루샤(Arusha)를 지나 서쪽으로 두 시간쯤 달리니 '마냐라(Manyara) 호수 국립공원'이 나온다. 입구에서부터 야생의 숲이 이어져 있는데, 10m는 되어 보이는 소시지 나무가 특이하다. 그 열매가 정말 소시지 모양으로 탐스럽게 달렸으나, 먹을 수는 없다.

–
먹음직스런 소시지 나무

숲을 나오니 펼쳐지는 마냐라 호수와 초원에는 수많은 얼룩말과 누가 같은 종이 아닌데도 무리지어 함께 살아간다. 색맹인 누와 후각이 안 좋은 얼룩말이 맹수로부터 자신들을 보호하려고 전략적인 동거를 하기 때문이다.

'마냐라(Manyara)호수'는 레바논 베카 계곡에서 모잠비크 까지 남북으로 6,400km에 걸친 '동아프리카 대지구대(Great Rift Valley)' 활동에 의해 만들어졌으며, 홍학(Flamingo)으로 이름난 호수다.

1억년 전 부터 시작된 대지구대 운동에 의해 대륙이 동서로 갈라지며 폭 30~50km, 양쪽 절벽 900~2700m의 높고 깊고 넓은 대협곡이 생성되고 그 틈으로 물이 고여 호수가 만들어졌다. 이런 지각판의 분리는 북으로 갈수록 폭이 넓어지며 지금도 계속되고 있기 때문에, 이 호수들은 커지고 있으며 수심 또한 점점 깊어지고 있다.

알칼리 현무암을 주로 하는 격렬한 화산 활동으로 대지구대가 형성됨에 따라, 호수들은 화산 토양에서 흘러나온 탄산수소염에 의해 약한 알칼리성을 띠게 되며 또한 나트륨 성분 때문에 소다성 호수가 되었다. 이러한 호수에서는 물고기가 살지 못하고 얕은 수심에 '스피룰리나' 라는 조류가 잘 자란다. 수천 수백 마리가 무리를 지어 물가에 사는 홍학은 이 스피룰리나를 섭취하고, 스피룰리나에 들어있는 카로티노이드 계열의 붉은 색소가 홍학의 깃털을 붉게 만들어 홍학이 분홍색을 띠게 되는 것이다.

황금색 관깃털 '회색 왕관 두루미'

아쉽게도 유명한 플라밍고는 못 보고, 검은 머리 위로 황금색 깃털을 얹은 회색 왕관 두루미(Grey Crowned Crane)를 만난다. 초원 습지에 주로 서식하며 긴 다리로 키가 1m 가 되고 뺨은 붉고 하얗고 목구멍에 붉은색 주머니가 있는 회색의 몸체로 2m의 회색과 흰색 날개를 가진 우아하고 아름다운 새이다.

'비서 새'(Secretary Bird)는 머리에 나 있는 화려한 깃털이 비서가 귀에 꽂은 펜과 같다 하여 붙여진 이름이다. 주황새 눈 주변에 긴 속 눈썹으로 눈을 사로잡는 우아한 외관과는 달리 독수리과에 속하는 희귀종 맹금류로 '뱀잡이 수리' 라고도 하는데 뱀이나 도마뱀을 잡아먹는다. 육식성이라 그런지 눈빛이 독수리처럼 매섭고 사납다.

　그나마 형형색색의 조류들로 위안을 삼으며, 기린, 코끼리, 카젤, 개코원숭이떼 정도의 사파리에 그친다. '나무 오르는 사자'가 있다는 데 보이지 않고, '초지에 하마, 얼룩말, 버팔로 등이 서식한다' 는 구호가 무색할 지경이다. 모처럼 사파리 분위기에 맞춰 사바나 초원에 자리 잡은 '카라투' 캠핑촌의 '헤이븐네이쳐(Havennature) 캠프사이트' 텐트에서 사파리 여장을 풀었다.

응고롱고로(Ngorongoro) 분화구

　아프리카 여행의 백미는 동물을 관찰하는 '게임 드라이브'이다. 끝없이 펼쳐진 초원에서 사자, 코끼리, 코뿔소, 가젤, 표범, 치타, 기린 등 수많은 야생동물들을 바라보고 있으면 가슴이 탁 트인다.

　'세렝게티(Seregeti) 국립공원'과 맞닿아 있는 '응고롱고로(Ngorongoro) 보호구역'은 아프리카에서 생태계가 가장 잘 보존된, 자연과 야생동물이 공존하는 '아프리카의 꽃'이라 할 수 있는 곳이다. 8,100평방km의 광활한 '응고롱고로 보호구역' 내의 높이 2,286미터 지점에 자리 잡은 '응고롱고로 분화구'(Ngorongoro Crater)는 중생대 후기에서 제3기 초기(8700만년~6500만 년 전)에 화산 폭발로 원래 킬리만자로(5,895m) 만큼 높았던 윗부분이 날라 가면서 형성되었다.

　동서 20km 남북 16km에, 높이 2400m 깊이 600m에 달하는 초대형 사화산 분화구로 단일 칼데라로는 세계에서 가장 큰 규모로 마사이어로 '큰 구멍'을 뜻한다. 분화구에는 물이 가득 차 있지 않으나, 안으로 항상 물이 고여 있는 화구호 '미카투 호수'가 있어 '동물의 에덴동산'으로 불린다.

　응고롱고로 고원지대에서 분화구 아래쪽으로 내려가는 길은 경사가 급하다. 기후가 온난하고 짧은 시간에 비가 많이 내려서 동식물이 다양하게 분포하고 있으며, 호수와 넓은 초원에 물길과 숲도 갖추고 있

\-

응고롱고로 분화구 호수

\-

분화구 호반의 하객 플라밍고

-
마사이족 마을과 작은 분화구 호수

-
멸종 위기의 코뿔소 가족

어 동물이 살기에는 최적의 환경으로 '동물 백화점' 으로도 불린다.

응고롱고로 분화구는 500~600m 높이의 산들이 사방을 병풍처럼 감싸고 있으며, 분지의 가장 낮은 곳과 높은 곳의 높낮이는 거의 1,600m에 달한다. 이러한 자연환경 때문에 계절마다 먼 길을 이동하는 세렝게티 초원의 동물과는 달리 모든 생태계가 외부와 단절되어 원래 상태를 보존하고 있는 '동식물 자원보고' 이다.

외부와 이어지기 쉽지 않은 고립된 환경이다 보니 동물들이 독자적인 행동 방식을 취하면서 대부분이 일생 동안 이 안에서 살아가야 한다. 이 때문에 동물들의 밀도가 아프리카 국립공원 중에서 가장 높은 곳 중 하나이기도 하여 사파리의 최고봉으로 일컬어지고 있다. 1979년과 2010년에 UNESCO가 탄자니아에서 세렝게티 보다 먼저 세계 복합유산(자연유산등재+문화유산확장)으로 선정하였다. 약 2만 5000마리의 야생동물이 서식하며 대표적으로 아프리카물소, 검은꼬리누, 사바나얼룩말, 그랜트가젤, 얼룩하이에나 등이 있으며 사자, 코끼리, 치타, 표범, 재칼, 여우, 개코원숭이 등도 흔하고, 조류는 타조를 포함한 400여 종이 관찰된다.

'미라냐 호수' 에서 못 본 플라밍고 무리가 여기 분화구 호반에서 분홍빛 띠를 두르는 장관을 보게 되는, 생각지도 않은 행운을 누린다.

어슬렁거리는 사자가 사파리 차량까지 와서 같이 놀기도 하고, 호수까지 펼쳐진 초원 위에서 멸종 위기로 찾기 힘들다는 코뿔소 가족도 보며, 코끼리, 버팔로, 얼룩말, 타조 등을 마음껏 다양하게 살펴보았다.

뜻하지 않은 방문객 암사자

앞발 들고 코세워 바오밥 잎을 따는
코끼리

길을 점거한 개코원숭이 무리

칼데라의 초원에서 쉽게 보이는 동물이 얼룩말과 누 떼이다. 얼룩
말과 누는 서로 부족한 후각과 시력을 보충해 주어 포식자로부터 보
호받을 수 있도록 상부상조하는 관계에다 서로 먹는 풀의 종류가 달
라 다투지 않는다. 동물들이 이렇게 서로를 도와가며 공존 할 수 있
는 근본적인 이유는 먹을 것이 풍부하여 먹이 다툼을 할 필요가 없기
때문인데, 응고롱고로 분지가 '야생동물의 천국' 이라고 불리는 이유
가 바로 여기에도 있다.

특기할 일은 다른 아프리카의 국립공원에서 어렵지 않게 찾아볼 수
있는 사슴들이 이곳에는 없다는 것이고, 분화구에 기린이 좋아하는

먹이인 아카시아 나무가 많지 않은데다 분화구로 내려가는 길이 가파르기 때문에 기린을 보기 힘들다.

역시 응고롱고로 분화구 게임 드라이브가 단 시간 내 다양하게 동물의 왕국을 즐기고 아프리카의 그 멋진 자연 경관을 축약하여 음미할 수 있는 명실상부한 최상의 사파리 코스이다.

가는 도중 분화구 주위의 자연보호구역 평원에서 야생의 생물과 공존하면서 전통적인 방목을 하며 살아가는 반유목민 마사이족 마을에 들려 그들의 생활상을 살피고 고유 전통 문화를 나누는 기회를 가졌다.

분화구를 중심으로 한 보호구역은 광범위한 고원지역으로, 단순히 야생동물이 살아가는 자연 지역이 아니라 동물과 원주민, 그리고 자연이 서로 공존하며 생활하는 공간이다. 응고롱고로 보호구역에는 아프리카에서 전사로 유명한 마사이족이 살고 있다.

원래 마사이족은 인근 세렝게티에서 살았는데, 1959년에 탄자니아 정부가 응고롱고로 보호구역을 세렝게티 국립공원과 구분하여 지정하고 마사이족을 이주 시키면서, 그들에게 생활보조금을 지급하고 보호구역내 그들만 사는 것으로 합의하고 관광산업을 발전시키며 그들의 권리를 인정하고 권익을 증진시키고 있다.

타랑기레(Tarangire) 초원

사파리 차량이 뽀얀 흙먼지를 일으키며, 야성의 대지와 호흡하며 야생의 품속으로 달려간다. 원주민 마사이족들의 반가운 손짓과 초원 위 야생동물들의 원시적 풍경이 가슴을 뜨겁게 한다. 지구의 태초의 모습, 원시 자연의 품속으로 돌아갈 긴장감에 마음부터 설렌다.

깊은 산중, 숨겨진 아름다움이 비밀을 드러낸다. 하늘이 선물한 그대로의 자연, 부족하지도 넉넉하지도 않은 태양의 조화 그대로 대초원 아래서 동물들은 숨 쉬고 사랑하며 더불어 살아간다. 대자연의 질서 속에 순리대로 살아가는 그대로의 모습을 바라보는 기쁨 또한 사파리의 매력이다.

대륙을 넘어 먼 타지에서 아프리카를 찾는 사람들은 충분한 시간을 가지고 동아프리카의 수렵대를 헤쳐 가며 야성의 동물들을 탐험하는 묘미를 즐기고 싶어 한다. 그러나 단기 여행이나 저렴한 비용으로 사파리를 찾고자 하는 사람들에게는 바로 '타랑기레(Tarangire) 국립공원' 이 그 대안이 될 수 있다. 탄자니아 사파리의 베이스 캠프인 아루샤(Arusha)를 출발해 한 시간 남짓이면 도착하는 공원에는 동물들이 타랑기레 강가에서 평화로운 한때를 보내고 있다. 그 유명한 세렝게티(Serengeti)와 응고롱고로(Ngorongoro)와 어깨를 마주하고 있지만, 이 작고 아담한 공간은 코끼리, 사자, 기린, 타조를 비롯한 야생동물의 천국이다.

'타랑기레 국립공원'은 특히 건기 사파리로 유명한데 공원내 '마르지 않는 물'(permanent water source)로 동물들이 몰려들기 때문이다. 또한 거대한 바오밥(baobab)나무, 덤불 대초원(bush

-
협동 사냥에 나서는 사자들

savannah), 계절 늪지대(seasonal marshes) 등도 볼거리다. 얼마 안가 멧돼지가 숲속에서 이동하는 것을 보고 나니 사자 가족들이 멀지 않은 나무 밑에서 휴식을 취하고 있다. 한참을 기다리니 드디어 사자 5마리가 대오를 갖춰 멧돼지를 공격하는 보기 드문 장면을 목격했는데 결국 사냥이 실패로 끝나 허탈하게 돌아오는 밀림의 왕자들을 보기도 했다.

이어 십여 마리의 코끼리가 사파리 차량을 가로 질러 이동하고 사파리의 꽃 마사이 기린이 큰 키를 치켜들고 인사하며 우리를 구경한

호숫가 바오밥 아래서의 휴식

다. 코끼리가 코를 수직으로 하늘로 세워 바오밥 나뭇잎을 따먹는 보기 드문 장면도 바라본다. 강줄기가 시원스레 펼쳐지는 언덕에서 점심 도시락을 먹으며 잠시 여유를 취한다. 시원한 아카시아 나무 그늘 아래, 색깔도 황홀한 파랑새를 비롯한 야생 조류들의 지저귀는 소리를 들으며, 저 멀리 보이는 강가에서 코끼리 가족들이 한가로이 목욕을 즐기는 장면을 지켜보니 내 마음도 모처럼 평온해진다.

　가까이서 본 사자 가족의 일거수 일동작과 사냥 모습, 코끼리 가족들의 거침없는 이동, 타조들의 행진 등을 마주 하고, 거대한 바오밥 나무들과 아프리카 사파리에 자주 등장하는 새집들이 아래로 매달려 있는 커다란 우산 모양을 한 '우산 가시 아카시아 나무(Vachellia tortilis)' 경치를 즐기다 보니, 어느새 사바나의 하루가 저물어간다.

마무리는 사파리 최고급 5성호텔 '타랑기레 사파리 롯지'에 들러 커피 한잔을 음미하며 멀리 내다보이는 사바나 초원으로 잠시 생각을 떠나보낸다. 고요한 한낮의 초원 위는 평온하다. 그러나 그 어디에선가는 사자들이 가젤과 누 떼들을 공격하며 초원 위 생태계의 질서를 유지하고 있을 것이다. 국립공원의 규모는 그리 크지 않지만, 동물들을 어렵게 찾아 나서지 않고도 다양한 야생동물들을 자연스레 관찰할 수 있다는 점이 바로 타랑기레 국립공원만의 매력이다.

초록으로 넘실거리는 아프리카 사바나에서 야성의 동물들과 보내는 여유로운 한때, 나름의 질서 속에 자연스레 공존하는 야생동물들의 세계를 바라보며 인간들의 삶을 되돌아본다. 경쟁과 개발, 과속과 과욕이 넘쳐나는 세계에서 잠시 벗어나, 자연과 공존하며 질서를 유지하며 평화롭게 살아가는 야성의 세계는 현대인의 지친 마음에 일말의 평안과 위로를 전해준다. 하얀 뭉게구름 아래, 초원 위 대자연의 질서는 인간들에게 고요히 살아가는 지혜를 소리 없이 전해주고 있다.

돌리 농원 승마 사파리

차량으로 접근할 수 없는 지역의 야생 동식물을 지근거리에서 관찰할 수 있는 승마사파리는 자연에 더 다가갈 수 있는 가장 좋은 독특

야생에 더 가까이

한 사파리 방식이다. 내가 처음 도전한 것은 아루샤에서 차로 40분
거리인 '아루샤 국립공원' 남쪽 우사(Usa)강변의 해발 1400m에 위
치한 돌리(Dolly) 야생 대농원에 위치한 카스카지(Kaskazi) 승마 사
파리였다.

폴로 클럽과 골프장을 소유하고 있는 거대한 사유지에서 킬리만자
로와 메루(Meru)산의 아름다운 전망을 감상하며, 탄자니아에서 가
장 우아한 포유류 중 하나인 게르누크(Gerenuk,목 긴 영양), 앤터
로우프(antelope 가지뿔 영양), 얼룩말, 누, 카젤 등을 쉽게 만나 볼
수 있었다. 사유지라 야생동물들을 위한 물웅덩이를 마련하는 등 나
름대로 승마 사파리를 위한 여러 준비를 했는데, 위치와 지형 상 문
제로 'Big 5'는 보기 힘들었다. 그러나 자연 속 야생동물들의 일상을
지척에서 보고 생생하게 느껴보니 가슴은 뿌듯해졌다.

빅토리아 폭포 강변 승마 사파리

빅토리아 폭포 바로 위 잠베지 강 유역에서도 사바나 승마를 했다. 아프리카의 신비를 간직한 전설적인 잠베지 강 숲길로 앞뒤 가이드의 에스코트를 받으며 들어서자 임팔라, 멧돼지를 만나고 곧 이어 버팔로, 얼룩말 그리고 기린까지 보이는데, 버팔로는 저돌적이라 접근을 삼가고 대신 피하려는 기린한테 최대한 가까이 다가간다.

멀리서 들려오는 수사자와는 다른 암사자 울음소리도 듣고, 물 고인 작은 못 주변으로는 사자, 코끼리 발자국도 보인다. 높이 솟은 고목 위로 밀림의 마지막 사체 청소부 독수리(Vulture)의 모습을 보고, 사자의 접근을 피해 가장 높은 곳으로 오르면서 자연 그대로의 적나라한 야생 환경을 가장 근거리에서 즐기다 보니 어느새 2시간이 지나갔다. 잠시 휴식 후 다시 수풀을 누비다 임팔라 보다 큰 가지뿔 영양과에 속한다는 사슴 아닌 '쿠두스'를 만나고 웅크린 버팔로를 보면서 4시간 반 일정의 사파리 승마를 마쳤다.

가끔 경속보도 하고 구보도 몇 번 시도하는 다양한 행보에다, 앞뒤 가이드로 안전까지 세심히 배려한 재미있고 알찬 사파리 여정은 거칠면서도 도전적인 면은 있었지만 보람있는 코스였다. 차량 사파리와 같은 주변의 흥분에서 벗어나 조용하고 평화로이 자연과 하나 되어 스스로의 감각을 살릴 수 있는 승마 사파리는, 참으로 생동감 있는 유쾌하고 독특한 경험이었다.

메루(Meru) 산기슭 낙타 사파리

아프리카에서 보편적인 4륜구동 차량 사파리에 이어 승마 사파리도 즐겨 본 필자는 북 탄자니아에서만 가능하다는 색다른 낙타 사파리도 시도해 보았다.

아프리카 제1봉 킬리만자로(5895m) 산행을 마치고 '아루샤(Arusha) 국립공원' 북쪽으로 탄자니아 제2봉 메루(Meru 4565m) 산기슭에 위치한 음쿠루(Mkuru)에서 마사이(Maasai)족이 안내하는 낙타를 타고 아프리카 초원의 묘미를 느껴보는 것은 마음 설레는 흥미진진한 도전이다.

90년대 초 소말리아로부터 20마리의 낙타를 들여온 이후, 음쿠루 낙타 캠프에 400여 마리로 증식되어 마사이족에게 젖을 공급하고 사파리에 제공되면서 좋은 수입원이 되고 있다. 그들은 나뭇잎을 먹기 때문에 가축과 경쟁하지 않고, 물 없이 최장 15일을 견딜 수 있어 장시간 여행에 적합하다.

피라미드처럼 보이는 '올 도인요 랜다리 산'(Ol Doinyo Landaree 염소 산)을 보며 음쿠루에 도착했다. 앞으로는 지평선 너머로 킬리만자로와 롱이도(Longido)산을 바라보고, 솟구친 메루산을 뒤로 하면서 낙타 등에 올라타 영양, 얼룩말, 기린, 타조와 같은 야생 동물을 찾아 매력적인 사바나를 여유 있게 돌아보았다. 주변의 아카시아 숲과 반 건조한 지역으로 인해 근처에는 많은 화려한 새들이 있는

데, 자주색 목 롤러(rufous crowned roller), 깃이 다섯 색인 오색조
(barbet), 모란앵무(Fischer's lovebird) 등이 대표적이다.

사파리 종착지에는 독일 식민지 시대에 만든 댐이 있으며, 앞에는
300마리 이상의 개코원숭이(Baboon)들이 서식한다는 계곡 동굴이
있다.

동굴은 마사이족에게는 치유 의식이 거행되는 장소로서, 매년 남자
들이 몇 달 동안 머물면서 몸을 단련하고 마음을 정화하기 위해 오직
소나 염소 고기만을 먹고 물은 안 마신 채 지내는 "오르풀 (Orpul)"
이 정기적으로 개최되고 있다. 오늘날도 마사이족은 아직도 이곳 댐
근처 깊은 협곡의 자연적인 물웅덩이에서 물을 길어 먹고 있다.

하루의 여정을 마치고 사파리 캠프로 돌아오면서 뒤를 돌아보니, 하

늘과 땅이 맞닿은 곳으로부터 스멀스멀 붉은 빛이 퍼져 나와 온 천지를 붉게 물들인다. 낙타 등에 올라서 보는 방대한 초원 지평선으로 노을 지는 석양이나 산마루에 걸린 구름과 함께 검붉어지는 메루 산의 황혼은 차량이나 말과는 다른 새로운 매력이 있었다. 약간의 엉덩이 아픔을 감수한다면 시야의 쾌감이 주는 잊지 못할 추억이 다가 온다.

가장 모험적인 낙타 사파리는 '키툼베인(Kitumbeine)산'과 '올 도인요 랜다리(Ol Doinyo Landaree)산'을 통해 나트론(Natron) 호수까지 사바나를 거니는 7일간의 일정인데, 메루(Meru) 산의 아름다운 경치를 보면서 가파르게 오른 올 도인요 랜다리 산 정상에서 메루와 킬리만자로 사이의 탁 트인 마사이족 평원 전망을 바라볼 수 있다.

인도양 바다 승마 수영

인도양 잔지바르 섬 망가프와니(Mangapwani) 해변에서 만조시간을 이용해 밀물로 가득 찬 모래사장 위로 인도양 파도를 가로질러 만을 건너는 바다 수영 승마(Sea Swim Riding)을 즐겼다.
승마장에서 말을 타고 골프장을 가로질러 해변의 야자수 아래에서 가벼운 구보(cantering)로 몸을 풀며 컨디션을 점검한 후에, 수영복 차림으로 말안장 없이 말등과 목덜미위에 맨몸으로 올라 하얀 백사장 해안으로 파도가 넘실대는 수정같이 깨끗한 푸른 바다로 들어갔다.

-
말과 함께 인도양 파고를 가르며

　안장이 없다 보니 따뜻한 말의 체온이 여과 없이 그대로 허벅지를 통해 서늘한 바닷물 사이로 내 몸에 감겨온다. 안장 없는 말을 타고 만조 파도를 헤쳐 나가려니 몸 균형을 유지하기가 힘이 든다. 이에 더욱 말과 밀착하여 일체감을 느끼면서 앞으로 때로는 방향을 선회하며 꽉 찬 밀물을 타면서 바다에서 승마 수영을 한다. 만조 수위의 수영승마를 즐기다 보니 30분이 안 되어 만조가 지나면서 조금씩 썰물이 시작되어 교관이 해변으로 말을 안내한다.

　안장 없이 수영복만 걸친 채 동물과 몸을 서로 부딪치고 체온으로 교감하며 인도양의 파고를 넘나들었던 색다른 바다수영 승마 체험은 너무나도 멋진 추억이었다.

40여일 간의 아프리카 여정을 마무리하면서

땀에 찌든 심신을 내려놓고 모처럼 하얀 모래사장,

에메랄드빛 푸른 바다에 안기려 인도양을 찾았다.

동아프리카의 해변에서 마주한 세계사의 이면.

반인륜적 노예무역을 고발하는 그 어두운 역사의 현장은,

아프리카를 떠나려는 나에게 흑역사의 아픔을 깨우치고 호소하며

못내 돌아서는 발걸음을 말없이 잡는 듯하였다.

...tances from captive's homes to their final destinations varied greatly. The
...hey might be only a short sea voyage or could involve a thousand miles of
...king over a period of several years.

...ajority of the captives travelling to the coast were intended for export, but
...e were kept on the mainland or sold along the way. Their last stop could be
...one of a number of places from nearby Zanzibar to South America.

...afa kutoka maeneo wanayotoka watumwa hadi sehemu wanayopelekwa
...atofautiana sana. Inawezekana kuwa safari fupi ya bahari au safari ndefu ya
...u ya kutembea kwa miaka mingi.

...umwa wengi waliosafirishwa kuelekea maeneo ya mwambao walitegemea
...zwa, lakini baadhi yao waliachwa katika maeneo ya bara au waliuzwa safarini.
...ari yao ilisha moja kati ya maeneo mbali mbali baina ya eneo la karibu la
...zibar hadi Marekani ya Kusini.

OVERLAND ROUTES

In the 19th century, slaves were driven along all of the existing trade routes of
East Africa to the coast. Of the passages leading towards Zanzibar, the Kilwa
route carried by far the heaviest trade. Lesser numbers travelled on the central
and northern routes to Bagamoyo and Pangani.

Between 1795 and 1830, Portuguese and Afro-Portuguese traders marched
hundreds of thousands of slaves to Mozambiquan ports from the southern end of
Lake Nyasa and the Mozambique interior.

Katika karne ya 19, watumwa walipitishwa katika njia zote zilizokuwepo Afrika
Mashariki wakati wakielekea katika maeneo ya mwambao. Miongoni mwa njia
zilizoelekea Zanzibar, njia ya Kilwa ndio iliyopita misafara mingi zaidi. Misafara
michache ilipita katika njia ya kati na Kaskazini kuelekea Bagamoyo na Pangani.

Kati ya 1795 na 1830, wafanyabiashara wa Kireno na Waafrika-Wareno
waliwaongoza maelfu ya watumwa kutoka maeneo ya mwisho kusini mwa Ziwa
Nyasa na ndani ya Msumbiji kwenyewe kuelekea bandari za Msumbiji.

*"We travelled on ... for more than a month ... and a great
many of the people died ... the way ... They would go on
walking for fifteen days at a stretch hardly able to get any
water ... Only the little children had no slave-sticks or
chains, but the grown-up people were all fastened to
prevent their running away."*

11

흑인 노예로 얼룩진
'인도양의 흑진주'

흑인 노예로 얼룩진 '인도양의 흑진주'

잔지바르에서 아프리카 여행을 마무리하다

해양 실크로드는 '스파이스(향료) 루트'이자 '세라믹(도자기) 루트'이었으나 동부 아프리카에 이르면 '슬레이브(노예) 루트'가 추가되면서 마침표를 찍는다. 인도양에서도 카펫·목재·철금속·보석·향료 등이 주요 무역 품목 이었지만 노예만큼 '가격 경쟁력이 높은 상품'은 흔하지 않았다. 동부 아프리카 해양 실크로드가 노예 루트로 된 것은 그만큼 인도양 항로에서 노예의 비중이 컸기 때문이다.

유럽인이 아프리카 서부에서 엄청나게 많은 노예를 포획하여 아메리카로 '수출' 했다면, 동아프리카 경우에는 이 보다 훨씬 이전부터 아랍 노예장사꾼이 내륙에서 노예를 사냥하였다. 동부 노예는 몸바사, 바가모요, 다르에스살람 등지의 인도양 항구에 대기시켰다가 잔지바르로 이동시켰고, 잔지바르에서는 아랍·페르시아·인도 나아가 아메리카로 까지 노예를 송출하였다.

아프리카 내륙에서 노예들은 또한 코끼리 사냥에 동원되어 상아를 날랐다. 코끼리가 죽어가며 남긴 희생물은 비싼 값에 세계로 팔려나

-
석양 지는 인도양

갔고, 인간은 높은 품격을 부여하여 예술이라는 이름으로 다양한 조
각 공예를 선보였다.

해양 실크로드에 '아이보리(상아) 루트'가 추가되면서, 중국은 물론
이고 한반도까지 흘러들어온 상아는 태국, 인도 뿐 만 아니라 동부
아프리카로 부터도 해양 실크로드를 통해 유입되었다.

　역사상 흑인 노예무역은 아랍인에 의해 가장 성행하였다. 흑인 노
예 최대 수요지인 미국 보다도 오히려 아라비아 지역에서 노예무역
이 활발하였는데 지리적으로 인접해 있기 때문으로 시기도 훨씬 빨
랐고 오래 되었다.

실제로 에티오피아, 말리 등 아프리카의 많은 나라와 부족들은 고대 시대 때부터 아랍 상인들과 많은 교류를 해왔다. 현 이라크에 위치했던 압바스 왕조에서 흑인 노예들이 대규모 반란을 일으킨 적이 있었고, 흑인들만 노예가 된 것이 아니라 백인 노예들로만 구성된 '맘루크'라는 직업 군인 집단이 따로 있었을 정도였다.

근대 제국주의 시대에 들어서 15세기에 포르투갈이 아프리카 서해안에서 노예무역을 시작하면서 아프리카 대륙 전체가 노예 시장화되었다. 아프리카 노예무역이 세계적으로 번창하면서, 초기에는 트루데시야스 조약으로 선취권을 얻은 포르투갈이 선점하다가 후에는 영국을 포함한 후발 국가들도 상당히 활발하게 진출하였다.

그러나 1807년 영국이 노예무역을 불법화하고 노예무역 단속을 시작하자 영국의 압박을 받은 프랑스나 스페인, 포르투갈도 노예무역을 금지하고 단속에 동참하였다.

이후로 노예무역은 급격히 쇠퇴하기 시작하였으며, 1833년에 대영제국 전체가 1848년에는 프랑스가 1840~50년대 들어서면 다른 유럽 국가들 대부분이 노예 제도를 없앴다. 이어서 라틴 아메리카에서도 노예제가 폐지되면서, 1865년 미국, 1886년 쿠바, 1888년 브라질을 마지막으로 노예제가 종식됨으로서 모든 서구 국가에서 노예 제도가 사라졌다.

30년 전 찾은 케냐 몸바사 항구의 노예시장터를 회상하면서 다르에스살람, 바가모요를 거쳐 잔지바르 '스톤 타운'으로 발걸음을 돌렸

다. 탄자니아에서 가장 오래된 도시로 UNESCO 세계문화유산으로 지정된 바가모요(Bagamoyo)는 아프리카 내륙에서 '사냥'한 노예를 일시 '보관'하였던 대표적인 '노예 루트' 항구로서 노예무역이 가장 오래 지속된 도시였다.

노예선을 타기 직전 머무는 노예들이 '마음을 내려놓는다'(현지 스와힐리어 baga내려놓다 + moyo심장, here I throw down my heart)라고 하는, 감금된 희망 없는 노예들이 체념, 절망, 처절한 심정 에서 우러난 '마음을 두고 떠나는' 슬픈 역사를 대변하는 도시명이다.

동부 아프리카의 노예 해안(Slave coast)으로서 동아프리카 전역에 서 잡힌 노예들이 팔려가기 전 배를 기다리던 아프리카 대륙에서의 마지막 장소였다. 노예는 인간이 아니었기에 노예시장으로 내보내기 전에 일시 '보관' 되었다.

유럽인에 의해 시작된 노예시장은 그 폐지 또한 유럽인의 손으로 이루어졌다. 바가모요에서 독일인 선교회는 1866년에 136명을 1870-79년에는 1,238명의 노예를 구출하여 해방시켰고, 1873년에는 바가모요에서 노예제도가 종식되었다.

공식적으로 노예제도가 폐지된 이후에도 프랑스 노예상인이 카리브 해의 대규모 사탕수수 플랜테이션 농장으로 노예를 공급하는 어둠의 역사는 지속되었다. 노예무역이 실제로는 19세기 말까지 성행하였다. 나는 노예들이 마지막으로 아프리카를 떠나는 잔지비르에서 아프리카 탐방여정을 마무리 했다.

바가모요의 노예시장 근처 어시장

-
스톤 타운의 아랍 요새

-
페르시아식 터키 목욕탕

성공회교회 제단과 리빙스턴 나무십자가

 '동아프리카의 보석' 이라 불릴 만큼 아름다운 잔지바르는 스와힐리 문명의 발상지이기도 하다. 원주민은 아프리카계 이지만, 무스카트에 본거지를 둔 오만 아랍이 잔지바르에서 포르투갈을 축출하고 점거한 스톤 타운은 1698-1701년 세운 요새(Old Fort)를 비롯해 미로처럼 얽힌 골목에 들어선 고색창연한 아랍식 흰색 석조 건축물로 독특한 아름다움을 과시하고 있다. 주민의 90% 이상이 이슬람인 스톤타운에는 1107년 세운 모스크를 비롯한 83개의 모슬렘 사원 외에도 불교 사찰 5곳과 유대교 회당 그리고 영국 성공회 교회가 있다.

 잔지바르는 과거 포르투갈, 오만, 영국 등의 지배를 받다보니 건축 양식도 이들 나라의 영향을 많이 받았다. 페르시아/터키식 목욕탕이 술탄 부인을 통한 페르시아와의 관계를 보여 주듯이 많은 언어와 인

노예석조상을 내려다보는 성공회교회

종과 관습이 혼합되면서 아프리카, 페르시아, 인도, 아랍, 유럽 양식이 혼재된 이슬람 정취가 풍기는 스와힐리 문화를 탄생시켰다.

2000년 UNESCO는 스톤 타운 도시 전체를 세계문화유산으로 지정하였다. 16세기 초 포르투갈에 의해 본격화된 노예무역은, 1741년 오만 술탄이 몸바사를 점령하고 수도를 무스카트(Muscat)에서 스톤 타운으로 옮기며 잔지바르가 그 대표적인 거점이 되면서, 동아프리카 노예무역의 전진 기지라는 아픈 역사를 간직하게 되었다.

잔지바르는 1873년 노예제도를 폐지하면서 본디 노예시장이던

경매 앞둔 노예 보관 창고

장소에 영국은 노예의 영혼을 달래기 위한 성공회 교회를 세웠다 (1873-79). 당시 선교사이자 탐험가인 리빙스턴은 많은 노예를 구출하고 본국 정부에 노예제도 폐지를 주창하여 그 종식에 기여하였다.

교회당 중심 제단에 동그랗게 표시된 지점은 노예가 상품으로 호출되어 채찍을 맞으며 경매되기 위해 서 있던 포인트이다. 제단 옆 기둥에는 리빙스턴이 죽은 자리에 있던 나무로 만든 십자가가 걸려 있다. 노예시장 옛터에는 당시 노예들의 실태와 참상을 고발하는 사진과 기록을 보여주는 전시관 그리고 노천 반 지하에 있는 쇠고랑을 목에 채운 네 노예들의 비참하고 처절한 모습과 감시노예를 적나라하게 묘사한 석상 조형물이 을씨년스럽게 그때를 기억하게 하고 있다.

전시관 지하에는 당시 상품화된 노예들이 경매로 넘어가기 전 잠시 머물던 2개의 방이 있는데 방바닥에는 노예들을 묶어 놓았던 쇠사슬도 보인다. 여성과 아이 그리고 남성으로 구분되는 노예창고는 각기 75명과 50명을 '보관'하였다고 하기에는 도저히 믿기지 않을 정도로 너무도 비좁아 비참함을 느끼게 한다. 잔지바르에서 400년 동안 노예무역을 통해 팔려나간 노예의 숫자는 100만 명이 넘는다.

노예시장은 공식적으로는 폐지되었으나 노예상인 입장에서는 최고의 수익이 나는 장사를 쉽게 포기할 수 없었기에 잔지바르 북서해안에는 비밀리에 운영되던 노예창고가 있다. 산호석을 뚫어 지하를 파고 지붕은 견고하게 산호 콘크리트로 덮어서 빠져나갈 구멍이 없다. 심지어는 자연 산호 동굴에 집단 수용하기도 하였다. 이러한 험난한 조건에서 살아남은 노예는 건강하다는 증표가 되어 비싼 값에 팔려 나갔다.

노예는 외국으로만 팔려나간 것이 아니라 많은 노예가 오만 술탄이 지배하던 잔지바르 도시의 번영에 기여하였는데, 스톤 타운의 우아한 모습을 떠받친 것 또한 노예 노동이었다.

한 달이 넘는 아프리카 내륙의 오지 탐방을 마무리지면서 에메랄드빛 코발트블루 바다와 넘실거리는 파도 그리고 곱디고운 새하얀 백사장에서 그 동안의 피로와 긴장을 풀기 위해 찾아간 인도양 해변은 더 이상 낭만적인 '동아프리카의 보석'도 '인도양의 흑진주'도 아니었다.

포르투갈이 아프리카 신항로를 개척한 이후 흑인 사냥으로 400년 이상 지속되었던 노예무역의 중심 거점인 잔지바르, 바가모요, 다르에스살람이 바로 내가 휴식을 취하려 찾은 리조트이었다.

그 중에서도 마지막 종착지인 스톤타운에서 노예무역의 집산지로서 노예시장에 관한 집대성된 정보에 접하면서, 인도양에 보석처럼 떠있는 낭만의 섬은 흑인 노예의 피눈물로 어느덧 '인도양의 슬픈 진주'가 되어 버렸다.

40여일 간의 아프리카 여정을 마무리하면서 땀에 찌든 심신을 내려놓고 모처럼 하얀 모래사장, 에메랄드빛 푸른 바다에 안기려 찾아간 인도양 해변에서 마주한 세계사의 이면. 반인륜적 노예무역을 고발하는 그 어두

운 역사의 현장은, 아프리카를 떠나려는 나에게 흑역사의 아픔을 깨우치

고 호소하며 못내 돌아서는 발걸음을 말없이 잡는 듯하였다.

―
썰물이 쓸고간 갯벌 위의 바위(Rock) 레스토랑

에필로그

언제나 '마지막'이라는 단어는 후련하면서도 아쉬움을 남긴다. 두 차례 40일간에 걸친 아프리카 여정이 끝났다. 그 동안 살아온 인생에서 호기심 어린 도전 의욕을 앞세우며 마음껏 머리와 발이 이끄는 대로 아프리카의 오지를 찾아 원주민과 함께 하면서 삶의 편린이나마 엿보고 이색적인 자연 질서를 땅, 물, 하늘에서 맛보았다. 또한 인류 발생 시원의 흔적도 살펴보고 그들의 고대문명, 예술이 가지는 세계사적 의미를 음미하는 평소 접하기 어려운 소중하고도 귀한 시간을 가졌다.

에티오피아, 탄자니아, 짐바브웨에 대한 집중적인 시공간적인 테마 탐방을 마치고 모처럼 찾아온 자유로움과 힐링을 즐기려 동아프리카 인도양을 찾았다. 야자수 아래 인도양 해변은 제대로 된 아프리카의 자연 그대로의 리조트이기도 하였지만 한편 '해양 실크로드'의 종착지로서 인류 흑역사의 대표적 부끄러움인 '노예 루트'의 산실로서 스와힐리 문명의 적나라한 단면을 역사의 교훈으로 깨우쳐 주기도 하였다.

돌이켜 보면 AD 1세기 아라비아 세력이 동아프리카로 건너오기 시작했고 8세기에는 아랍과 페르시아가 식민지와 정착지를 건설했을 정도로 인도양을 통한 교류가 활발하였다. 아랍을 통해 이슬람과 오만 방언 아랍어가 들어와 이른바 반투 스와힐리(Bantu Swahili) 언어와 문화가 정착된 것이다. 동아프리카 앞바다는 오랜 세월 이슬람의 집중 공략으로 '무슬림의 바다'로 접수된 상태였고 한편으로 인도양은 '이슬람의 호수'로 까지 명명되었다.

대항해 시절 희망봉을 돌아서 모잠비크를 거쳐 동아프리카를 접수하면 인도양 진출을 위한 교두보가 확보되어 인도에 다다르게 됨에 따라, 바다에 거점을 마련함은 유럽세력으로서는 사활이 걸린 과제였다. 오늘날 소말리아에 속하는 '아프리카의 뿔'은 홍해의 길목이자 인도양의 출구이다. 그런 면에서 바로 아래에 위치한 천혜의 항구 조건을 갖춘 몸바사가 페르시아, 아랍, 그리고 인도와의 교역 중심지로서 아랍 세력의 주목을 받으며 성장하였다.

포르투갈의 해외 진출은 전략적 포스트에 성채를 마련하여 항로를 관리하였을 뿐 완전히 나라 전체를 전방위적으로 식민화하여 경영한 경우는 지극히 제한적이었다. 무슬림 세력의 힘도 만만치 않아 오랜 싸움 끝에 결국 몸바사, 스톤 타운 등 주요 거점에서 포르투갈을 쫓아냈다.

유럽식 세계사에서는 아랍이나 아프리카 원주민의 해양사를 배제하다 보니, 유럽 세력이 당도하기 훨씬 이전에 이미 인도양을 무대로 바다를 넘나들던 스와힐리 문명이 형성되어 있었음을 생략하고 있다. 그들에게 아프리카는 '부인된 역사'이고 '몰각된 역사'이기도 하였다.

스와힐리 문명은 모잠비크 북부로부터 소말리아 남부에 이르는 1500㎞에 달하는 광범위한 동아프리카 연안에 퍼져 있다. 아프리카 원주민문화에 아랍, 인도문화 등이 결합하여 만들어진 스와힐리 문명권은 언어와 풍습 등에서 단일 영역을 확보한다. 탄자니아·케냐·우간다 같은 국가는 유럽제국의 금 긋기로 탄생한 것일 뿐, 이들 나라끼리의 스와힐리어 소통에는 장애가 없다.

아랍이나 스리랑카, 인도네시아, 태평양 그리고 동아프리카에서 다우선과 이중 카누 선박 양식이 전승되면서 인도양을 가운데 두고 아프리카와 동남아시아의 항해적 공통점과 교류의 가능성이 강하게 제기되었다. 동부 아프리카 마다가스카르의 선주민이 아프리카인이 아니라 인도네시아 자바에서 인도양을 넘어온 말레이계라는 사실이나, 인도네시아 족자카르타에 있는 '보르부드르 불교사원'의 부조에 대항해용 이중 카누 선박이 각인되어 있다는 것 또한 주목할 필요가 있다.

이처럼 대항해 시절 훨씬 이전부터 페르시아, 오만, 인도, 아랍 등이 인도양을 내해 삼아 동아프리카로 진출해 현지 흑인과 스와힐리 언어와 문명을 형성해 왔다.

아프리카는 인류 태동의 시원지요 최초의 원시 인류문화 발상지요 인간이 가장 오래 살아온 지역으로서 세계적 수준의 부존자원을 보유하고 있음에도 불구하고, 지금 세상에서 가장 낙후된 저개발 지역으로 남아있는 이유는 무엇일까?

앞으로 생존을 뛰어 넘어 생활권을 확보할 수 있는 개발 가능성은 있는 것일까?

아프리카는 첫째, 지리적 특성이 사회경제 발전의 장애물이 되고 있다. 문명의 발전은 지식과 인간의 교류가 필수적 인데, 지리적 환경 때문에 그 소통과 교류가 제약 받고 있는 것이다. 대륙 북부의 사막, 중부의 정글, 남부의 사막과 사바나 초원 등은 인적, 물적 교류를 방해한다.
이로써 사상, 문화, 기술 및 재화의 원활한 교류도 기대할 수 없게 되고 근대적 발전에 걸림돌이 되고 있다.

둘째, 식민제국주의 서구열강의 무책임한 국경선 설정과 외부 개입이다.
대륙에는 인종적으로 북부의 아랍계열, 중남부의 흑인계열, 남부의 일부 백인이 혼재해 있고, 언어적으로도 5개 이상의 어족이 분포되어 있으며 게다가 지리적 고립으로 인해 다양한 문화가 생성되어 있다.
오로지 힘의 논리에만 바탕을 둔 획일적인 경계선 긋기와 외부적 찬탈은, 종교, 문화, 언어가 다른 부족들을 단위로 하는 인위적인 국가와 국민을 태동시켰다. 이는 숙명적으로 내전, 테러 같은 갈등과 분쟁의 씨앗을 잉태하면서 더 이상 미래발전을 이끌어 내지 못한 채 퇴보의 양상까지 보이고 있다.

셋째, 통치 권력의 불안정과 부정부패이다.

아프리카는 부족 간의 원활한 소통과 교류를 위해 영어, 불어 등 과거 종주국의 언어를 공용어로 채택 하다 보니 지역통합과 국제화에 앞서 가는 언어문화가 이루어지고 있다. 또한 저출산·고령화 문제로부터의 자유로움은 향후 아프리카의 성장을 기약하는 여건이다. 그런데 독재와 부정선거와 쿠데타가 빈발하고, 소수의 정치가와 고위 공직자들은 국가 이익을 사익화하는데 앞장서고 있다.

유럽 세력이 당도하기 훨씬 이전부터 형성된 동아프리카의 스와힐리 문명은 당시의 세계사에서도 어느 지역에 뒤지지 않는 문화 문명권을 이루었다. 3000년 전부터 시바와 솔로몬의 로맨스가 빚은 에티오피아 중심의 메넬리크 왕조가 누렸던 이집트 못지않은 번영과 영화는 지금도 동아프리카인의 선민의식과 자존감을 지탱해 주고 있다.

1929년 탄자니아 콜로-콘도아의 9천 년 전 암벽화가 서구에 소개된 이후, 2011년 남아프리카에서 7만 3000년 전 돌조각 무늬가 발견되면서 현생 인류가 남긴 가장 오래된 그림으로 밝혀졌다. 아프리카의 선사미술은 1만 년 전 리비아의 동물 암각화를 포함하여 사하라에서 남아프리카에 이르는 전역으로 그 분포를 확대하고 문화예술을 꽃피우며 세계미술사에 큰 획을 긋는다. 특히 암벽화가 보이는 경이로운 추상적 묘사와 구성은 현대 미술의 관심과 초점의 대상이 되고 있다.

블랙 아프리카의 인류사적인 요람과 선사고대 문명의 발자취를 더

듬으며, 또한 근세 들어 서구 식민제국주의에 의해 얼룩진 어둠의 역사를 반추해 보면서, 현재 아프리카 대륙이 처해 있는 지리적 한계, 획일적 국경선 등 외부적 제약에 더하여 내부의 부정적 통치 행태 까지 더 해지는 총체적 어려움에 더욱 안타까움과 아쉬움을 남긴다.

원시 선사시대부터 인류 최초의 발견 발명으로 이루어 낸 문화 문명이 현대에 다시금 재현되기를 바라는 것은 단순한 꿈에 지나지 않는 것인가? 그래도 미지의 대륙에서 비교 우위적 인프라와 부존 자원의 바탕 위에 외부경제를 토대로 미래지향적 발전을 도모하려는 꿈의 아프리카는 오늘도 어두운 그림자를 떨치며 한걸음 두걸음 뚜벅뚜벅 희망에 찬 발길을 내디디고 있다.

[부록] 에티오피아, 탄자니아 여행 자료

1. 일 정

2. 항공 일정

3. 숙소

4. 경비

5. 주요 투어
   1) 19.1.3 Tour to Melka Kunture, Adadi Mariam and Tiya
   2) 19.1.4~7 Danakil Depression Tour
   3) 19.1.8~12 South Omo Valley Tour
   4) 19.1.17~24 Kilimanjaro Climbing (킬리만자로 산행)

6. 참고 자료
   [ETH 1]   the Ethiopian Airlines On line Check-in Feature
   [ETH 2]   Addis Ababa (New Flower)
   [TAN 1]   Hot Spring after Kilimanjaro Climbing
   [TAN 2]   Horse and Camel riding Safari
   [TAN 3]   Kondoa Rock-Art Sites
   [TAN 4]   Bagamoyo
   [TAN 5]   Zanzibar

1. 일정

제1차 : 2018. 9. 13 - 9. 18 (5박6일)
[ICN-ADD/Addis Ababa-GDQ/Gondar-LLI/Lalibela-AXU/Axum-ADD-ICN]

9.13 목 _ ICN 1:05a - ADD 07:10a ET673 (12h05m 시차 6h)
[ET 국제선 $1037+ 국내선 $206]

- Entoto Hill3200m (6k; Entoto Maryam Church,Museum,Palace) – Ethnological Museum - IES Ethnographic Museum in ADD Univ.(십자가, 성물, tradition) – National Museum of Ethiopia(320만년 전 Lucy, Aksum/Eritrea, Queen Seba) – St. George Cathedral/Museum – (Anwar Grand Mosque) – Mercado(or cosy Shola Mkt.)

- Trinity Cathdral/Museum – Beata Maryam Church(Menelik 2) – Maskel Square [Red Terror Martyrs' Memorial Museum + Addis Ababa Museum + Medhane Alem Cathedral + Oromia Cultural Center; up down Bole Rd. area] + Africa Ave.
- Addis Fine Art Gallery (10-6)
- Makush Art Gallery & Res. (~11:30)
- Habesha Cultural Restraunt / Traditional Dance
- Ehiopian Lunch "Ambassador/Garden"
- Lucy Restaurant (National Museum of Ethiopia)

+ Toronto Addis Hotel $33

9.14 금 _ ADD 08:10-(1:10)-09:20 GDQ/
Gondar 2133mh 인구 20만명 1636-mid 19C 왕국수도
Kuskuam Complex(4.8) ~ Royal Endosure(4.4) ~ Debre Berhan Selassie (4.6) Queen Tayitu Pension ~ University of Gondar(4.0) ~ Shinta River

Fasil Ghebbi(4.7) ~ Alem-Seghed Fasils Castle ~ Adian-Seghed Iyasus
Castle ~ Messih - Seghed Befakas Castle ~ Fasilida's Bath(4.3)

• Four Sisters Restaurant(4.6)
• Affinty Bar & Restaurant(5.0)
• Hash-Baz Cafe(5.0)

+ Kino Hotel $40

9.15 토 _ GDQ 09:50 - (0:30) - 10:20 LLI
Lalibela 인구3만명(100%정교회)
자그웨 왕조(Zagwe Dynasty 1137-1270), 새로운 예루살렘 건설(랄리벨라 왕)
11개 지하암반교회(Rock-hewn Ethiopian orthodox Christian monolithic
churches), 솔로몬 왕조(Solomonic Dynasity : Menelik 1 ⋯⋯ Amlak /
1270-1974)

중앙(1) Bet Giyorgis(George)(4.7)
북동(6) Bet Maryam(4.7) / Bet Medhane Alem(4.6) / Bete Sillase(4.0)
         Tomb of Adam(4.5) / Lalibela Museum(4.7)
남동(4) Bete Mekireriwos(5.0) / Bet Amanuel(4.7) /
         Bet Abba Libanos(4.3)

• 토요 전통시장(Saturday Lalibela Market)
• Ben Abeba Restaurant (2800mh)
• Seven Olives Hotel Restaurant
• Segent Restaurant(5.0)

+ Torpedo Hotel $28

9.16 일 _ LLI 10:40 - (0:40) - 11:20 AXU
Aksum 5만명(75%정교회) 솔로몬 새왕국 BC400 / 4C 기독교 / 7C 이슬람

Northern Stelae Field ; Obelisks(4.3), Archaeological Museum - Ta'aka
Maryam Palace - Queen of Sheba's Palace(3.9);Dungur Palace - Gudit
Stalaes - King Bazens - Tomb - Arbatu Ensessa Church - Artisanal
Center - University of Aksum (3.5)

• Yeha Hotel 해넘이 - Antika Cultural Restaurant

+ Ethiopis Hotel $19

9.17 월 _ AXU 18:20 - (1:20) - 19:40 ADD/Addis Ababa

Queen of Sheba's Swimming pool(3.9) - Ezana Stone - King Kaleb's
Tumb - Abba Pentaleon - Abba Liquanos - Abalicanos - Old Church
of Our Lady Mary of Zion(4.5)(1665 on 4C Site) / Treasury Museum /
Chapel of the Ark : Ark of Covenant [BC1440]

+ Toronto Addis Hotel $33

9.18 화 _ ADD 10:35p - ICN 4:15p(+1) ET672 (11h40m)
Trinity Cathdral / Museum

제2차 2019. 1. 3 - 2. 4 (32박33일)
[ICN - ADD/Addis Ababa - VFA/Victoria Falls - ADD - JRO/Kilimanjaro
- DOD/Dodoma - DAR/Dar es Salaam - ZNZ/Zanzibar - ADD - ICN]
$2543

1.3 목 _ ICN(00:20) - ADD(07:25) $2387
Melka Kunture prehistoric site - Adami Mariam / Tiya (1 Day Tour)
$ 130 4WD (driver + fuel)

ADD 7:05p – Meleke(MQX) 8:30p ET148 (ETB 4880)

+ Whitney Hotel $15

1.3 목-1.8 화 (4D6N) _ 다나킬 저지대 투어(Danakil Depression – 100m)
($400)

1.4 금 _ Mekele ~ Danakil Depression(-100m) ; (Berhale639m) –
소금사막 ; 소금호수 – Hamed Ela

1.5 토 _ Dallol유황지대(-116m) ; Sulphur Springs – Mt. Salt(-100m)
– Lake Assal(-130m) ; Oily Salt Spring – Oily Salt Pool –
Ragad(Asebo) Salt Mine-Abaala

1.6 일 _ Abaala ~ Dodom(80k;6h) ; Askoma(150m) ~ Erta Ale
(H613m, D100m, W65m)(6k;3h)

1.7 월 _ Sunrise – Lake Afdera(-102m) – Mekele

+ Whitney Hotel $15

1.8 화 _ MQX 8:50a – (ADD) – Jinka(BCO) 1:45p
ET101/135 (ETB 8840)

1.8화 – 1.12토(5D4N) _ 오모 계곡(Omo Valley) 11개 원시 부족 투어 ($500)

1.8 화 _ (Jinka) – Alduba(바나 부족Banna – 체마이 부족Tsemay(화요시장)
– Banna

1.9 수 _ (Jinka) – 무르시 부족Mursi – 아리 부족Ari – (Jinka) –
하메르 부족 Hammer

1.10 목 _ (Omorato) – 다세네치 부족Dasenech – Turmi(Hammer-Banna
목요시장) – 냥가톰 부족Nyangatom-Karo

1.11 금 _ Karo – (Turmi) – (Jinka) – (Key Afar) – Tsemay – 콘소 부족Konso
– 다라쉐 부족 Darashe – (Arba Minch)

1.12 토 _ 도르제 부족 Dorze-Lake Chamo-ADD

1.12 토 Arba Minch(AMH) 1:20p-ADD 2:25p ET134 (ETB 3965)

+ Toronto Addis Hotel $33

1.13 일 _ ADD 08:35a – VFA 12:15p ET 829
www.victoriafalls.guide.net / www.zambiatourism.com /www.viator.com/
Victora-Falls
UniVisa $50 Park Fee(V.F$30 / Horse$15 / SkiDive, Cruise $10)
물안개 / 달이 뜨면 달무리, 해가 뜨면 무지개
16:30-18:30 Sunset Skidiving
           $474/$336+10Park f.+120VideoPhotos+8 Transfer
info@skydivetandemcompany.com +263 776 577 585
https://www.victoriafalls-guide.net/victoria-falls-skydiving.html
19:00~22:00 Boma Buffet / Jungle Junction Restaurant, Victoria Falls Hotel
/1904
(19:30~20:15) Tradfitional Show $35 "찌부쿠(막걸리)"
http://www.victoriafallshotel.com/jungle-junction

+ Sweet Holiday Homes $76

1.14 월 _ 6:00 ~ 10:30 승마 사파리 Horseback Riding $110(+15)
"Alison Baker"⟨alison@horses.co.zw⟩, Zambezi Horse Trails in V.F. Wildlife
area

12:00-15:00 빅토리아 폭포 투어 Guided Tour V.F $15(+30)
https://www.viator.com/tours/Victoria-Falls/Dinner-Cruise-on-the-
Zambezi-River/d5309-40481P2
17:00-20:00 잠베지강 석양 크루즈 Sunset Cruise+Dinner $75(+10$)
Pure Africa Waterfront, VF 4-course dinner plus wine, beer, and coffee

+ Sweet Holiday Homes $76

1.15 화 _ VFA 13:00p - ADD 21:30   ET 829
빅토리아 폭포 호텔(Victoria Falls Hotel) ~ V.F. 마을/ 목각시장 투어
6:00~8:00 Sunrise V.F.Tour (Intondolo Safaris & tours)$20(+30)
https://www.viator.com/tours/Victoria-Falls/Tour-of-the-Falls-
Guided/d5309-62298P9
06:00~9:00 Victoria Falls Guided Tour $23 (+30)
httpwww.visit-victoria-falls.com/activities/scenic/victoria-falls-
guided-tour/#overview

+ Dreamline Hotel

1.16 수 _ ADD 10:15 - JRO 12:50 ET815
($2785) ⟨$1860 산행 + $925 사파리, 암벽화⟩
마랑구(Marangu)게이트 ~ 차가(Chagga)고산족 / 지하동굴, 재래커피농장 ~
킬리만자로 모형전시관
Transfer to Kikuletwa Chemka Hot Spring at Rundugai and also get
Maasai Boma and other activities like Coffee Tour.

1.17목 - 24목 _ (8D7N) 킬리만자로 산행(Kilimanjaro Lemosho Climbing)
⟨70km/39~51h⟩
Moshi 914m - ⟨4h⟩ - Londorossi Gate 2360m ~ Uhuru Peak 5895m ~
Mweka Gate 1640m
Lemosho Glades (2일 12k/10h) + Machame Rt. (5일 36k/31h)
+ Mweka (2일 22k/10h)

1.17 목 _ 1일 7k/2h40m Moshi 914 ~ Londorossi Gate 2250
~ Lemosho Gate (2100m) – Mti Mkubwa (Big Tree 2650m)

1,18 금 _ 2일 10k/5h40m Mti Mkubwa (2650m)– Shira 1 (3610m)

1.19 토 _ 10k/4h30m Shira 1 (3610m) – Shira 2 (3850m)

1.20 일 _ 4일 10k/7h10m Shira 2 (3850m) – Lava Tower 4600
– Barranco (3900m)(음12.15)

1.21 월 _ 5일 6k/4h30m Barranco (3900m) – Karanga (3995m)

1,22 화 _ 6일 4k/3h30m Karanga (3995m) – Barafu (4673m)

1.23 수 _ 7일 17k(5+12)/16h(8:30+7:30) Barafu (4673m)
– Stella Point 5756m – Uhuru 5895m – Barafu (4673m)
– Mweka(3048m)

1.24 목 _ 8일 10k/3h30m Mweka (3048m) – Mweka Gate (1640m)

1.24 목 _ 메루산(Meru Mt,4565m)기슭 낙타사파리(음쿠루Mkuru $40)
($925사파리+암벽화)

+ Kiboko Lodge. $150

1.25 금 _ 승마 사파리 Horseback Riding Safari 8:00~10;00/2h
(카스카지 Kaskazi $200)
Usa River on Dolly Estate 1400m / high (~Arusha 23k/40m)
www.africanspicesafaris.com / info@
국립공원 마냐라 호수(Lake Manyara National Park) to see Flamingoes,
associate birds,wildlife animals,tree climbing lions, etc in Jan. located

beside Great Rift valley.

+ 카라투 헤이븐네이쳐(Karatu Havennature) 캠프사이트

1.26 토 _ 올두바이(Olduvai) 인류고고학 박물관 ~ 이동하는 모래언덕(Shifting Sands) ~ 응고롱고로 분화구(Ngorongoro Crater) 보호구역 사파리 Ngorongoro Crater Safari (직경20k; 2000m/h; 600m/d분화구), 사파리 최고봉

Olduvai Museum and excavation sites to collect hominid, faunal fossils and the ancient tools. (Shifting Sands north of Olduvai Gorge).

+ 카라투 헤이븐네이쳐(Karatu Havennature) 캠프사이트

1.27 일 _ 마사이(Massai) 마을 ~ 타랑기레(Tarangire)국립공원 사파리 Tarangire National Park, 120km/2h far, during dry season to have permanent water source hence most wildlife to be migrated here. Giant baobab trees, bush savannah and the seasonal marshes add to the wonder of this nature reserve.

+ Executive Lodge, Babati town,

1.28 월 _ 콜로 콘도아 Kolo Kondoa 암벽화 (Kondoa Irangi Kolo Rock Painting)

+ 원주민 민박 (Home Stay – Native house)

1.29 화 _ 콜로 콘도아(Kolo Kondoa) 암벽화 ~ 도도마(Dodoma)

+ New Dodoma Hotel $60

1.30 수 _ DOD / Dodoma 07:30a ~ DAR / Dar es Salaam 08:30a ($111) Dar es Salaam ~ Bagamoyo

Mwenge Craft Market 공예시장 - Village Museum 민속촌 4.2 (9:30-6)
& Makumbusho Village Museum 3.8 (9-6) for a live performances of
traditional song and dance - Kivukoni Fish Market 수산시장 3.9 (-5) /
Cape Town Fish Market 4.4 (-11) - Nat'l Museum & House of Culture
국립문화박물관 3.9 (9:30-6) : Fossil from Olduvai Gorge
Botanical Garden, Coco Beach and Town Center. Bahari View
Waterfront, Mlimani City Shopping Mall

+ Bagamoyo   Firefly Lodge $58

1.31 _ 목 Bagamoyo - Dar es Salaam
Bagamoyo : Capital of German East Africa (1887-89)75k North from
Dar es Salaam

Beach, Holy Ghost Catholic Mission/Museum(10-17), Chuo cha
Sanna(College of Arts), Kaole ruins : 12C Arab town/5k South (8-16)
Caravan Serai Museum 0.5 km / Catholic Historic Museum 1.1 km
Kaole Mamba Ranch 3.5 km / Lazy Lagoon Island 9 km / Stella
Maris Supermarket 0.8 km / Fish Market 0 km / Fruit Market 1 km /
University of Dar es Salaam

+ Airport Tourist Rest House $28

2.1 금 _ DAR 10:00~ZNZ 10:20

Stone Town Heritage Walks (Sifhts, Sounds & Scents / Handicrafts
/ Faiths & Peace / Dhow Culture/ Architecture) - Old Fort(1699)
- Zanzibar Doors - New Mosque - Hamamni Baths - Cultural Arts
Centre - East Africa Slave Market Exhibit(1800-1901) / Christ Church
Cathedral / Paul's Art Gallery - 재래시장

+ Swedzan House $50

2.2 토 _ Zanzibar

Palace Museum – Park Hyatt Hotel – Sea Swim-horseriding (pm3:00-
4:00 $50) Stable, Sea Cliff Resort & Spa besides Mangapwani Beach
– a quiet stroll around the golf course
– then a canter on top of the beach before going bareback in to the
ocean
https://seacliffzanzibar.com/horse-riding-2/ Kama Village,
Mangapwani P.O.Box : 1763,

• Restaurant, Sea Cliff Resort & Spa
• Mangapwani Restaurant or Kobe Restaurant
• The Rock pm 6:00-8:00

+ Evergreen Bungalows $63

2.3 일 – 2.4 월 _ [ET814] ZNZ 16:00– 20:40 ADD [ET672] 22:25 – ICN
15:45(+1)

2. 항공 일정

(제1차)

ICN-ADD / Addis Ababa - GDQ / Gondar - LLI / Lalibela-AXU / Axum-
ADD-ICN ($1243)

2018.

9.13 목 (ET673) ICN 1:05a - ADD 07:10a (12h05m 시차-6h) ($1037)

ET@23k(158)x2 / 7k+5k Cabin Carryon

(ADD - Gondar - Lalibela - Axum - ADD $ 206)

9.14 금 [ET122] ADD 08:20 ~ (1:10) ~ 09:20 GDQ (ETB1630:$59)

ET@20kg+ 7k Cabin Carryon(23x40x55)

9.15 토 [ET122] GDQ 09:50~10:20 (0:30) LLI (ETB 928/$34)

9.16 일 [ET122] LLI 10:40~11:20 (0:40) AXU (ETB1089/$40)

9.17 월 [ET163] AXU 18:20~19:40 (1:20) ADD (ETB2003/$73)

9.18 화 (ET672) ADD 10:35p- ICN 04:15p(+1) (11h40m)

(제2차)

ICN - ADD / Addis Ababa - VFA / Victoria Falls - ADD -JRO /
Kilimanjaro - DOD / Dodoma - DAR / Dar es Salaam - ZNZ / Zanzibar
- ADD - ICN ($2543)

2019.

1.3 목 (ET673) ICN 00:20a - ADD 07:25a (13h05m 시차-6h)

1.3 목 (ET148) ADD 7:05p~(1:25)~8:30p Meleke(MQX) (ETB 2440/$87)

1.8 화 (ET101/135) MQX 8:50a~(ADD)~1:45p Jinka(BCO)
         (ETB 4420/$158)

1.12 토 (ET134) Arba Minch(AMH) 1:20p~(1:05)~2:25p ADD
         (ETB 1982/$71)

1.13 일(음12.8) (ET829) ADD 08:35a - VFA 12:15p (4h40m 시차-1h)

1.15 화 (ET829) VFA 13:00p - ADD 21:30p

1.16 수 (ET815) ADD 10:15a – JRO 12:50p

1.30 수 DOD / Dodoma 07:30a – DAR/Dar es Salaam 08:30a ($111)

2.1 금 DAR 10:00a – ZNZ 10:20a ($45)

2.3 일 – 2.4 월 [ET814/672] ZNZ 16:00p – 20:40p ADD 22:25p

– ICN 15:45p(+1)

---

3. 숙소

(제1차)
2018

9.13 목 Toroto Addis Hotel, Addis Ababa $33

9.14 금 Kino Hotel, Gondar $40

9.15 토 Torpedo Hotel, Lalibella $28

9.16 일 Ethiopis Hotel, Aksum $19

9.17 월 Toroto Addis Hotel, Addis Ababa $33

(제2차)
2019

1.3 목 Whitney Hotel, Mekele $15

1.4 금 – 1.6 일 Danakil Depression (현지여행사 제공)

1.7 월 Whitney Hotel, Mekele $15

1.8 화 – 11 금 Omo Valley (현지여행사 제공)

1.12 토 Toroto Addis Hotel, Addis Ababa $33

1.13 일 – 1.14 월 Sweet Holiday Homes, Victoria Falls Town $76

1.15 화 Dreamline Hotel, Addis Ababa (항공사 제공)

1.16 수 Moshi (현지여행사 제공)

1.17 목 – 1.23 수 Kilimanjaro (현지여행사 제공)

1.24 목 Koboko Lodge, Arusha (현지여행사 제공)

1.25 금 – 1.26 토 Karatu Havennature Campsite, Karatu (현지여행사 제공)

1.27 일 Executive Lodge, Babati (현지여행사 제공)

1.28 월 민박, Kolo/Kondoa (현지여행사 제공)

1.29 화 New Dodoma Hotel, Dodoma $60

1.30 수 Firefly Lodge, Bagamoyo $58

1.31 목 Airport Tourist Rest House, Dar es Salaam $28

2.1 금 Swedzan House, Stone Town / Zanzibar $50

2.2 토 Evergreen Bungalows, Zanzibar $63

---

4. 경비

제1차(18.9.13-9.18) (5박6일)

[ICN – ADD / Addis Ababa – GDQ / Gondar – LLI / Lalibela – AXU / Axum – ADD – ICN ($1243)

USD1 = ETB(Ethiopian Birr)27.6 = W1130   [18.9.10]   (1 ETB= W 41)

- Flight $1243 = EURO 867($1037) (ET/ICN – ADD)
                  + $206(국내선 GDQ – LLI – AXU)
- ADD tour $50
- Hotel $153 = 33 x 2 + 40 + 28 + 19
- Per Diem $250 = @$50 x 5

TOTAL $1696 = 1243 + 50 + 153 + 250

제2차(19.1.3-2.4) (32박33일)

[ICN – ADD / Addis Ababa – VFA / Victoria Falls – ADD – JRO / Kilimanjaro – DOD/Dodoma ~ DAR/Dar es Salaam ~ ZNZ / Zanzibar –

ADD – ICN]   ($2543)

USD1 = ETB(EthiopianBirr)28.1 = TZS(TanzanianShilling)2300 =
ZMK(ZambiaKwacha)11,942 = W1130   [19.1.2]
(1 ETB = W 40) (1 TZS = W 0.5) (1 ZMK = W 0.094)

- Flight $2543 = 2387(ET / ICN–ADD / ZNZ) + 111(DOD–DAR)
                    + 45(DAR–ZNZ)
- Tour $3805 = 400(Danakil) + 500(Omo) + 1860(Kilimanjaro)
                    + 925(Safari+Kolo) + 120(Visa70 + 50)
- Acyivity $814 = 474(Sky) + 35(Boma) + 125(Horse) + 85(Cruise)
                    + 45(VF) + 50(Swim)
- Hotel $365 = (Mekele)15 + 15 + (VF)76 + 60 + (Baga)58 + (DAR)28
                    + (ZNZ)50 + 63
- Rent Car $440 = 130(ADD) + 200(DAR) + 110(ZNZ)
- Tip $370 = 50(Omo) + 300(Kilimanjaro) + 20(Safari)
- Per Diem $500 = @$50 x 10days

TOTAL $8840 = 2543 + 3805 + 814 + 365 + 440 + 370 + 500

5. 주요 투어

1) 19.1.3 목 Tour to Melka Kunture, Adadi Mariam and Tiya
2) 19.1.4 금 ‒ 1.7 월 Danakil Depression Tour
3) 19.1.8 화 ‒ 1.12 토 South Omo Valley Tour
4) 19.1.17 목 ‒ 1.24 목 킬리만자로 산행 (Kilimanjaro Lemosho Climbing)

1) 19.1.3 목 Tour to Melka Kunture, Adadi Mariam and Tiya

During this one-day trip, we will see the archeological station called Melka Kunture, Rock Temple of Adadi Mariam and Rock Stele in Tiya.

We will head south-west towards Jimmy, to take a turn to the route to Butajira. It will lead us to one of the biggest Neolithic stations in Ethiopia ‒ Melka Kunture.
It is located near the gorge, in which flows the river Auasz in the vicinity of the city of Melka Awash.
The museum exhibits tools and utilitarian objects discovered there. Some of them can be seen in National Museum in Addis Ababa.

Then, we will follow the same route towards the city of Butarija, to take a turn to the gravel road, near which the Rock Temple Adadi Mariam is located.
It was established at the same time with the Rock Temples in Lalibela ‒ in XIII century.
It is told that the king Lalibela ordered to build it to have a place to pray on the road to Mount Ziquala.
The last point of our trip will be a visit in the mysterious Tiya Stelae Field, the closest UNESCO World Heritage Site, located 88km south of Addis Ababa.

It comprises 36 megaliths erected to mark mass graves of young males and females, possibly soldiers, aged between 18 to 30 years old, who were laid to rest in a foetal position.

They were erected between the 12th and 14th centuries.

Little is known about the constructors of these monuments, or the meaning behind the stylised swords, unadorned circles, leaf-like symbols and other features engraved upon them, but they are the remains of an ancient Ethiopian culture.

2) 19.1.4 금 -1.7 월 Danakil Depression Tour   ($400)

Jan 4, Mekele (2080 masl), Hamede Ela

Drive to Hamedela via Berhale (639 meters above sea level). The Danakil Depression can be said to 'begin' here. It is one of the most inhospitable regions of the world, but is nonetheless spectacular, full of eye-catching colors, as in the sulphur springs.

The desert has several points lying more than 100 meters (328 ft) below sea level. You pass through a small town of Berhale where the camel caravans stop before they proceed to the northern highlands.

En route you see many long caravans going to the salt mines and others coming out of the Danakil with their salt loaded camels. (3-4 hrs drive) Camp at Hamedela.

Jan 5, Hamd Ela Dodom (150 meters)

We start early, shortly after a 06:30 breakfast, and drive to Askoma (150 meters) at the base of new Erta Ale. The 80 km distance may take about 6 hrs passing through changing landscape of solidified lava, rock, sand and the occasional palm lined oasis. You pass several small hamlets scattered here and there in this desert land, before reaching Askoma village or parking area.

You will trek from Askoma to the new Erta Ale which takes about 3 hrs. It is a 9 km trek from Askoma to Erta Ale. Early dinner around 17:00 and trek up to the new Erta Ale reach around 20:00. Camels transport all the camping materials and some food, sleeping materials, mattresses and water, to the rim of the volcano, where we spend the night watching the dramatic action of the boiling lava.

New Erta Ale ranks one of the most alluring and physically challenging natural attractions anywhere in Ethiopia. It is a shield volcano with a base diameter of 30 km and 1km square caldera at its summit. New Erta Ale is part of the world's only permanent lava lake and you will spend an unforgettable night on the top of the mountain. The magma flow moved 3.5 kms south from old Erta Ale to the New eruption point. Jan 6   Sunrise at the volcano and Lake Afdera (102 meters)

Early morning you will rise with the sun with time to walk around pits and craters.
The main pit-crater 613 meters above sea level, 200 m deep and 350 m across, is sub-circular and three storied.
The smaller southern pit is 65 m wide and about 100 m deep.

You will leave around 7:00 to head back to Askoma for breakfast.
You will reach latest at 10:30 am at the camp and after some time to relax you will drive to Lake Afdera (or the mythical Lake Giulietti), a salt water lake located more than 100 meters below sea level, in one of the deepest depressions of the planet.

Because of the pictureqsue landscape, it is interesting to visit the salt flats where the Afar people obtain the salt by evaporating the water of the lake,

on continuing to Hamad Ela, a village with a total population about 500 people.

Over night camping at Hamed Ela.

Jan 7 Morning driving tour to Ragad (Asebo), where the salts are mined.

Observe the breaking of the salt from the ground, cutting into rectangular pieces and loading on camels.

You drive ahead to Dallol (-130 m) and visit the difference landscape formed by volcanic activity, Dallol + Lake Assal (-130 m) + camel caravans (No camel caravan on July, August and early September) .

Excursion to Dallol (116 meter below sea level, one of the lowest places in the world) colorful salts mining, visit Lake Assal, follow up camel caravans and walk with the Afar people.

Drive back to Hamedela and proceed to Mekele.

3) 19.1.8(화) -12(토) South Omo Valley Tour   ($500)
7:30am (Sunrise 6:43) ~ 5:00pm (Sunset 6:31)

1.8 Tues (Day 1)

Pick you up afternoon from Jinka airport at 1:45pm and drive to Alduba to anttend colorfull Tuesday market which is the biggest market in Omo valley and we will see 2 tribes in this market called Banna and Tsemay then drive to [Banna] village and home stay with local people in the hut and local food cooked.

After the market I will take you to show Banna village.

1.9 Wed (Day 2)

Drive to Mursi thruogh Mago national park then visit one of the [Mursi] village, they are famous by their lip plate, afterwards drive back to Turmi 250 km then visit Hammer village. They are unique by doing Bull jumping ceremony, if we are lucky we will see the ceremony then take shower in my friends hotel and keep drive to [Hammer] remote village overnight sleep with tribe and local food.

.After Mursi village I will show you the [Ari] village then to Turmi.

Also visit to [Nyangatom] tribe, who is nomadic particularly famous for warrior.

1.10 Thur (Day 3)

Drive to Omorate to visit [Dasenech] tribe across Omo river with a wooden boat and see remote village border to Kenya, afterwards back to Turmi 180 km and to Key Afer to see Thrusday Turmi Hammer market, then drive [Karo] tribe (62km from Turmi) smallest 3000 number in the left bank of Omo River with elaborate decorations especially body painting in village meal local food.

1.11 Fri (Day 4)

On the way to Konso through Turmi, Jinka and Key Afar, I visit [Tsemay] village and next see [Konso] stone walled village and cultural landscape designated as UNESCO World Heritage, then drive to Derashe overnight camp in the village meal fullboard. I will take you to the [Darashe] village before Arbaminch.

1.12 Sat (Day 5)

Early in the morning at 6:00 am, drive to lake Chamo to visit the African biggest crocodile, Hippos and various birds then drive to [Dorze] village 50 km after visiting Dorze back to Arba Minch to depart at 1:20 pm.

4) 19.1.17(목)-24(목) 킬리만자로 산행 (Kilimanjaro Lemosho Climbing) 〈70km/39~51h〉 ($1860)

6k[3-4h] + 8[5-6] + 14[5-7] + 7[4-6] + 5[4-5] + 4[4-5] + (5[7-8] + 12[4-6]) + 10k[3-4h]

The 8 day Lemosho route is remote and very natural Kilimanjaro route with few tourists on this trail hence provides real private adventure travel and ecotourism. In Lemosho route there are more wildlife including big game like giraffe, buffalo, elephants e.t.c. Plants are diverse and wonderful flowers seen. This Kilimanjaro route is recommended and only variant is slight high cost than Machame.
Below is daily trek schedule and overnight station/Camps.

Day 1 : Londorossi Gate to Forest Camp
- Elevation : 2377m/7800ft to 2896m/9,500ft
- Distance : 6 km
- Hiking Time : 3-4 hours
- Habitat : Rain Forest.

We depart Moshi for Londorossi Gate, which takes about 4 hours, where you will complete entry formalities. Then drive to the Lemosho trailhead (another hour to reach the trailhead). Upon arrival at trailhead, we eat lunch, then commence through undisturbed forest which winds to the first camp site.

DAY 2 : Forest Camp to Shira Camp 1
- Elevation : 2896m/9,500ft to 3505m/11,500ft
- Distance : 8 km
- Hiking Time 5-6 hours
- Habitat : Moorland.

We continue on the trail leading out of the forest and into a savannah of tall grasses, heather, and volcanic rock draped with lichen beards.

As we ascend through the lush rolling hills and cross several streams, we reach the Shira Ridge before dropping gently down to Shira 1 camp. The view of Kibo from across the plateau is amazing.

DAY 3 : Shira Camp 1 to Shira 2 to Moir Hut
- Elevation : 3505m/11,500ft to 4206m/13,800 ft
- Distance : 14 km
- Hiking Time: 5-7 hours
- Habitat : Moorland.

We explore the Shira plateau for a full day. It is a gentle walk east toward Kibo's glaciered peak, across the plateau which leads to Shira 2 camp on moorland meadows by a stream. Then we continue to Moir Hut, a little used site on the base of Lent Hills. A variety of walks are available on Lent Hills making this an excellent acclimatization opportunity. Shira is one of the highest plateaus on earth.

DAY 4 : Moir Hut to Barranco Camp via Lover Tower
- Elevation : 4206m/13,800ft to 3962m/13,000ft
- Distance : 7 km
- Hiking Time : 4-6 hours
- Habitat : Semi Desert.

From the Shira Plateau, we continue to the east up a ridge, passing the junction towards the peak of Kibo. As we continue, our direction changes to the South East towards the Lava Tower, called the "Shark's Tooth." Shortly after the tower, we come to the second junction which brings us up to the Arrow Glacier at an altitude of 16,000ft. We now continue down to the Barranco Hut at an altitude of 13,000ft. Here we rest, enjoy dinner, and overnight. Although you end the day at the same elevation as when you started, this day is very important for acclimatization and will help your body prepare for summit day.

DAY 5 : - Barranco Camp to Karanga Camp

- Elevation : 3962m/13,000ft to 3993m/13,100ft
- Distance : 5km
- Hiking Time : 4-5 hours
- Habitat : Alpine Desert.

After breakfast, we leave Barranco and continue on a steep ridge passing the Barranco Wall, to the Karanga Valley campsite. This is a short day meant for acclimatization.
-14-

DAY 6 : Karanga Camp to Barafu Camp
- Elevation : 3993m/13,100ft to 4663m/15,300ft
- Distance : 4 km
- Hiking Time : 4-5 hours
- Habitat : Alpine Desert.

After breakfast, we leave Karanga and hit the junction which connects with the Mweka Trail. We continue up to the Barafu Hut. At this point, you have completed the South Circuit, which offers views of the summit from many different angles. Here we make camp, rest, enjoy dinner, and prepare for the summit day. The two peaks of Mawenzi and Kibo are to be seen from this position.

DAY 7 : Barafu Camp to Summit to Mweka Hut
- Elevation : 4663m / 15,300ft to 5896m / 19,345ft (and down to 3048m / 10,000ft)
- Distance : 5 km ascent / 12 km descent
- Hiking Time : 7-8 hours ascent / 4-6 hours descent
- Habitat : Arctic.

Very early in the morning (midnight to 2am), we continue our way to the summit between the Rebmann and Ratzel glaciers. You head in a northwesterly direction and ascend through heavy scree towards

Stella Point on the crater rim. This is the most mentally and physically challenging portion of the trek.

At Stella Point(5669m/18,600ft), you will stop for a short rest and will be rewarded with the most magnificent sunrise you are ever likely to see (weather permitting).
From Stella Point, you may encounter snow all they way on your 1-hour ascent to the summit.
At Uhuru Peak, you have reached the highest point on Mount Kilimanjaro and the continent of Africa. Faster hikers will see the sunrise from the summit.

From the summit, we now make our descent continuing straight down to the Mweka Hut camp site, stopping at Barafu for lunch. You will want gaiters and trekking poles for the loose gravel going down. Mweka Camp is situated in the upper forest and mist or rain can be expected in the late afternoon. Later in the evening, we enjoy our last dinner on the mountain and a well-earned sleep.

DAY 8 : Mweka Camp to Moshi
- Elevation : 3048m/10,000ft to 1646m/5,400ft
- Distance : 10 km
- Hiking Time : 3-4 hours
- Habita t: Rain Forest.

After breakfast, we continue the descent down to the Mweka Park Gate to receive your summit certificates. At lower elevations, it can be wet and muddy. Gaiters and trekking poles will help. Shorts and t-shirts will probably be plenty to wear (keep rain gear and warmer clothing handy).
From the gate, you continue another hour to Mweka Village. A vehicle

will meet you at Mweka village to drive you back to hotel in Moshi.

WEB : http://www.kilitraveladventurestz.com
Email : kilimanjarotravel@yahoo.fr

---

6. 참고 자료

[ETH 1]   The Ethiopian Airlines On line Check-in Feature
[ETH 2]   Addis Ababa (New Flower)
[TAN 1]   Hot Spring after Kilimanjaro Climbing
[TAN 2]   Horse and Camel riding Safari
[TAN 3]   Kondoa Rock-Art Sites
[TAN 4]   Bagamoyo
[TAN 5]   Zanzibar

-

[ETH 1]   The Ethiopian Airlines On line Check-in Feature
36~2 hours before Departure

Go to https://wci-prod.sabresonicweb.com/SSW2010/ETC0/
checkin.html or click "web check-in" from the quick links section on
EthiopianAirlines.com home page to begin web check-in.

On the "Home" page enter your name as it appears on your ticket
(Passenger receipt).
Also enter the city of beginning of your travel and Reservation Locator
(PNR) or your Frequent Flyer Number and click "Continue".

This will locate your reservation and displays your itinerary.

Select your sex (if not entered before) and the sector of the flight you would like to check-in at the moment and click "Select or Change Seat".

On the next screen you can change the seat that was assigned to you at the time of booking your flight.

If no change is required, proceed to next step by clicking "check baggage".

• The next page shows the "hazardous materials" information.

Please read that and confirm if you do carry any of the listed materials.

NOTE

make sure that the information you provide here is correct as it may have legal implications.

Once you select "No" you will be asked for the number of baggage you would bring to the airport for check in.

This doesn't include your single hand bag allowance (maximum 7 Kgs).

Please make sure that your baggage is in accordance with Ethiopian baggage allowance before you come to the airport.

Baggage allowance can be checked here. Baggage Allowance Calculator

Click "Check-In" to finish the process and display your boarding pass

Print your boarding pass (2 copies required) and bring with you to the airport.

If you have no baggage to check-in, proceed to the boarding gates directly.

If you have baggage to check-in, please refer to the timing precautions below.

-

[ETH 2]   Addis Ababa (New Flower)

[오전] Entoto Hill3200m (6k; Entoto Maryam Church,Museum,Palace) ~~

Ethnological Museum ~ *IES Ethnographic Museum in ADD Univ.(십자가, 성물, tradition) ~ *National Museum of Ethiopia(320만년 전 Lucy, Aksum/Eritrea, Queen Seba)~ *St. George Cathedral/Museum~ (Anwar Grand Mosque)~ *Mercado(or cosy Shola Mkt.) [점심] 〈Ehiopian Lunch "Ambassador/Garden"〉 ~~

[오후] Trinity Cathdral/Museum ~ Beata Maryam Church(Menelik 2) ~ Maskel Square
[Red Terror Martyrs' Memorial Museum + Addis Ababa Museum + Medhane Alem Cathedral/biggest + Oromia Cultural Center; up down Bole Rd. area] + Africa Ave.
 • Addis Fine Art Gallery(10-6)
 • Makush Art Gallery & Res.(~11:30)
 • Habesha Cultural Res. w/d Traditional Dance

■ Addis Ababa was founded by Emperor Menelik II, who relocated his capital from Ankober to the Entoto Hills in the early 1880s. Following the unusually cold and wet rainy season of 1886, the royal entourage set up temporary camp at the lower-lying Filwoha Hot Springs, largely at the urge of Queen Taitu, who loved its steamy natural baths and christened the site Addis Ababa (New Flower).

By the mid-1890s, the new imperial palace at Addis Ababa comprised a 3km² compound enclosing 50 buildings and housing 8,000 people, while the Saturday market near present-day St George's Cathedral drew up to 50,000 people.

In 1900, lack of firewood in the immediate vicinity of Addis Ababa prompted Menelik II to consider relocating his capital to Addis Alem (New World), a plan that was scrapped when it was discovered that the Entoto Hills provided ideal conditions for the fast-growing eucalyptus tree, an import from Australia.

The capital's development was bolstered by the arrival of the Djibouti railway in 1917 and an associated influx of Armenian and French traders, as well as by the drive for modernization, following the coronation of Emperor Haile Selassie in 1930. Addis Ababa was chosen as the base for the UN Economic Commission for Africa (UNECA) in 1958, and five years later it was made headquarters of the Organization of African Unity (OAU), now the African Union.

The city's population has grown from around 100,000 at the time of Menelik II's death in 1913 to almost four million today.

A medieval Christian presence in the Entoto Hills above Addis Ababa is confirmed by the existence of the ruined rock-hewn churches of Washa Mikael and Kidus Raguel. The hills also host the city's oldest functioning church, Entoto Maryam, a traditionally painted octagon perched on the site where Emperor Menelik II was crowned in 1889. Another relict of Menelik II's reign, St George's Cathedral later served as the coronation site of Empress Zewditu and Emperor Haile Selassie. Selassie (Trinity) Cathedral, with its Arabesque facade, is where Emperor Haile Selassie was buried in 2000 at a ceremony attended by Rita Marley.

Nearby Beata Maryam, noted for its beautifully painted interior, hosts the subterranean mausoleum of Emperor Menelik II and Empress Zewditu.

Other examples of religious architecture include the beautiful early 20th century Anwar Grand Mosque, and the gracious Armenian and Greek Orthodox Churches on the Piazza.

Addis Ababa is studied with worthwhile museums.

The landmark National Museum of Ethiopia is of particular interest for its palaeontological hall, displaying a hominid skeleton stretching back 5.5 million years. Nearby, the IES Ethnographic Museum, set in a former residence of Emperor Haile Selassie (now Addis Ababa University), has a wealth of fascinating displays exploring the cultures of South Omo, as well as the country's largest collections of traditional musical instruments, costumes and medieval ecclesiastic artworks.

Other more subject-specific installations include the Red Terror Martyrs' Memorial Museum, Addis Ababa Museum, National Postal Museum, Zoological Natural History Museum and the museums associated with St George's Cathedral, Selassie (Trinity) Cathedral and Entoto Maryam Church.

Addis Ababa has a thriving cultural life embracing some excellent art galleries, traditional restaurants and live music venues. A feature of the city is its wonderful cultural restaurants, which are typically housed in traditional tukul-style buildings, and serve the full range of meat-based and vegan Ethiopian specialities, accompanied by colourful traditional music and dance performances. Ethio Jazz and contemporary Ethiopian music can also be experienced at a variety of nightclubs.

■ The airport lies 5km southeast of the city centre at the end of busy

Bole Road.

Addis Ababa is well known for the lively Meskel (Finding of the True Cross) festivities held at Meskel Square on 27 September.

Other holidays such as Ethiopian New Year (11 September), Gena (Ethiopian Christmas; 7 January) and Timkat (Epiphany; 19 January) are celebrated colourfully throughout the capital. These holidays fall one day later in leap years.

Good areas for handicraft shopping include the central Churchill Avenue, Haile Selassie Avenue in the Piazza area, and Shiro Meda Traditional Cloth Market, the latter being the main outlet for the many skilled Dorze weavers living in this part of the city. Spanning altitudes of 2,350m to 2,600m, Addis Ababa has a pleasant climate year round but can be chillier than expected at night and in the rainy season. Bring warm clothing.

아디스아바바 주요 투어 포인트

1. The steaming Filwoha Hot Springs – now a popular health spa persuaded Emperor Menelik II to relocate his capital to Addis Ababa in the rainy season of 1886.

2. The old railway station or La Gare (Legahar) was inaugurated by Empress Zewditu in 1930, as was the Lion of Judah Statue in front of it.

3. The city's central landmark, Meskel Square is named after the colourful Finding of the True Cross festival held there annually on 27 September (28 September in Leap Years).

4. The Red Terror Martyrs' Memorial Museum is superb but harrowing,

and is dedicated to the violent political campaign that killed many thousands of Ethiopians under the Derg regime of 1975–91.

5. Some fascinating artefacts and photographs from the city's early days are displayed at the Addis Ababa Museum, set in a former royal residence behind Meskel Square.

6. Italian-designed Africa Hall was inaugurated by Emperor Haile Selassie as the headquarters of the OAU in 1961.

7. The Selassie (Trinity) Cathedral is the final resting place of Emperor Haile Selassie. The suffragette Sylvia Pankhurst and former prime minister Meles Zenawi are buried in its grounds.

8. Adorned with fascinating murals depicting important events in Ethiopian history, Beata Maryam Church also has a mausoleum where Emperor Menelik II is buried alongside his wife and daughter.

9. The IES Ethnographic Museum in the University of Addis Ababa includes displays of cultures of South Omo, a collection of traditional musical instruments, and Christian icons from the Middle Ages.

10. The National Museum of Ethiopia has a wonderful palaeontological hall housing the 3.2 million year old skeleton of 'Lucy', along with pre-Aksumite statues from Yeha dating back over 2,500 years.

11. St George's Cathedral, built by Emperor Menelik II to commemorate victory over Italy at Adwa in 1896, was the coronation site of Empress Zewditu and Emperor Haile Selassie.

12. The city's main commercial hub, Addis Merkato, extends over

more than a square kilometre and houses over 7,000 small businesses.

13. The city's largest and oldest Islamic shrine, the beautiful Anwar Grand Mosque was built in 1922 and has a green domed roof and green towering minaret.

14. Ethiopia's tallest skyscraper, the New Africa Union Building (not open to the public), is a 99.9m high tower block that took over from African Hall as the African Union Headquarters in 2012.

15. Extending for 10km2 over the Entoto footslopes, the Gulele Botanical Gardens offer great birdwatching and rambling among indigenous flora on the northern verge of the city.

16. Set at an altitude of 2,900m, Entoto Maryam Church, together with its museum and restored palace, is a relict of the short-lived capital established by Menelik II in the Entoto Hills in the early 1880s.

17. The megaliths at the Tiya UNESCO World Heritage Site south of Addis Ababa can be visited in one day with the rock-hewn church of Adadi Maryam and Melka Kunture Archaeological Site.

18. Set in a sheer canyon north of Addis Ababa, Debre Libanos Monastery led the Ethiopian Orthodox Church from the 1460s until Italian troops destroyed the original building in 1937.

19. An easy day or overnight goal from Addis Ababa, Bishoftu lies to the east, amidst a field of volcanic calderas, several with beautiful crater lakes and modern resort hotels nearby.

20. The lovely Menegasha National Forest – home to most of Ethiopia's endemic forest birds – can be visited in conjunction with

the new Born Free Sanctuary, where several black-maned Abyssinian lions are housed in large enclosures.

21. The modern Oromia Cultural Centre houses a museum and a theatre.

http://www.ethiopia.travel/sites/default/files/addis_t_map-compressed.jpg

-

[TAN 1] Hot Spring after Kilimanjaro Climbing

Rundugai hot water springs / Kikuletwa Hot Springs or Chemka hot springs are an unexpected paradise hidden in the desert scrub outside the town of Boma.
Situated about 35 kilometres from Moshi, in the heart of the Sanya Plains, lie the Rundugai Springs.

They are an extraordinary phenomenon, rushing up from underground in the middle of parched and dusty landscape. Locally called Chemka, meaning boiling, this refers to the way in which the water appears to boil as it emerges from underground.
In fact, the water is not hot rather it is a pleasant temperature!

This is a good place to visit for a picnic and a swim too. And the views of Kilimanjaro on a clear day are also fabulous. Unfortunately, the water is full of fluoride which means the local people can't use it for drinking.
The crystal-clear, turquoise waters surrounded by palm trees and winding roots offer a picturesque spot for a relaxing afternoon swim.

The spring is actually rather big and over 6 meters deep in some places although you can see the bottom through the crystal clear waters no matter where you are. You can also wrap your arms around one of the roots and just let the water flow by as you drift off into a daydream listening to the monkeys and birds in the trees.

Chemka Hot Springs Campsite can be used for killing pleasant time after climbing and safari.

If you visit on Monday, we start the Rundugai village tour on Monday Maasai Market. This is real Maasai Market, where Maasai come to sell their crops, cattle, hand made crafts and earn some money. Rundugai area is known for growing many crops.

–

[TAN 2] Horse and Camel riding Safari

Horse and camel riding adventures are also organized within and around West Kilimanjaro, Usa River, Meserani Snake Park and Lake Natron area.

Horse riding Safari

Arusha National Park, visitors explore the slopes of Mount Meru with lush mountain forests and sweeping views of the surrounding scenic places on a Horse back.

Horse riding in Arusha National Park offers visitors a full benefit of the knowledge of the wildlife, bird life, forestry, waterfalls and many more.

Following game trails stimulates visitors as one gets closer and interacts with the wildlife and then learns much more about it.

Camel riding Safari

Camel safaris are the ultimate wilderness experience.
They allow you to go deep into the heart of the bush where you can observe closely giraffes, zebras and many other animals without sitting in a vehicle all day, track elephants on foot and get in touch with the local communities that are perfectly knowledgeable of their rich cultural and natural heritage.

In Mkuru, near Arusha Park Camel treks with local Maasai guide will give visitors a wide range of studying direct through the villagers. Specialized on Camel riding, Mkuru Camel safaris are among the most fascinating adventures in Northern Tanzania.

The Camel Safaris are organized from the camel camp located in Mkuru Maasai village, from a few hours to a week long expedition to Oldoinyo Lengai, Ngorongoro highland and Lake Natron.

A trip on a camel back through the Maasai land is magical, visitors get a great chance to experience wildlife, Maasai people 'day to day life' and the beautiful scenery

–

[TAN 3] Kondoa Rock-Art Sites

The district of Kondoa, especially around the tiny village of Kolo, lies at the centre of one of the most impressive collections of ancient rock art on the African continent.
The overhanging rocks in the surrounding hills shelter two thousand years' worth of artistic expression, with some sites being still actively

in use for animist worship.

It's one of Tanzania's least-known and most underrated attractions and, if you can tolerate a bit of rugged travel, makes an intriguing and worthwhile detour.

Kondoa Rock Art

Although several archaeologists, most prominently Mary Leakey, have studied these sites, the history of most remains shrouded in mystery, with little known about either their artists or even their age.

Some sites are still used by local rainmakers and medicine men.

Rock-art experts divide the Kondoa paintings into two distinct styles or eras.

The oldest are the so-called Red Paintings, which are also the most sophisticated. Some experts maintain that the oldest paintings date back around 7000 years, perhaps even further.

The Red Paintings (often ochre or orange) usually contain stylised depictions of humans, sometimes hunting with bows and arrows or dancing and playing musical instruments, while many are drawn with skirts, strange hairstyles and body decoration. Large animals, notably giraffes and antelopes, are also common, and geometric shapes also appear.

Intriguingly the depictions of animals tend to be naturalistic, while the humans have a stick-figure abstraction.

The Red Paintings are thought to have been made by the Sandawe who, linguistically, are distantly related to South Africa's San a group also renowned for its rock art, or the Hadza people, who now live around Lake Eyasi in northern Tanzania.

Whoever they were, the makers sometimes used hands and fingers, but also brushes made of reeds or sticks.

Some of the colours were probably made by mixing various pigments with animal fat to form crayons.

The second category is known as the Late White Paintings.
Far simpler (even crude) when compared to the Red Paintings, the Late White Paintings mostly date from the last 1500 years and were painted by Bantu-speaking peoples who migrated into the area.
The better ones resemble wild or mythical animals, human figures and patterns using dots, circles and rectangles, but many of these more recent works take on unintelligible form, largely because most were painted using fingers rather than brushes.
For more information,
African Rock Art (www.africanrockart.org)
Kondoa Irangi Cultural Tourism Program (www.tanzaniaculturaltours. com)

Getting Around
It is possible to hire motorcycles in Kolo; these can reach all the sites detailed earlier, but you'll have to get off and walk up some hills.
Hiring motorcycles is very expensive if done through the Antiquities Department (Tsh25,000 just to the Kolo sites, for example), but you can try to get a better price with locals or hire a vehicle in Kondoa, 25km south of Kolo.

Getting There & Away
Kolo is 80km south of Babati. Buses to Kolo (Tsh7500, $2\frac{1}{2}$ hours) depart Babati at 7am and 8.30am.
From Arusha, Mtei Express buses to Kondoa, leaving at 6am, pass Kolo (Tsh11,500, five hours).
The last bus north from Kondoa leaves at 9am.
There are only buses to Dodoma (Tsh8500, three hours) from Kondoa, not Kolo. They leave at 6am, 10am and 12.30pm.

Catching a north-bound bus in Kondoa means you'll get a seat; wait for it to pass Kolo and you'll need to stand.

It could be possible to visit as a day trip from Babati (or as a stop en route to Dodoma) using public transport if you're willing to hitch-hike after visiting the Kolo sites; there are usually some trucks travelling this road in the afternoon.

-

[TAN 4] Bagamoyo

Located 75 km north of Dar es Salaam on the coast opposite Zanzibar, this is the formal capital of the German East Africa. It derived the name from the word Bwagamoyo means "here I throw down my heart" reflecting the desperation and despair of the "broken hearted" captives whose voyage into the unknown began here.

Bagamoyo has beautiful beaches with beautiful hotels; it is the best ideal for relaxation during the visit to Dar es Salaam, 2 or more nights in Bagamoyo is advised to explore the attractions and swimming along the beach.

Kaole Ruins

This found about 5 km south of Bagamoyo; at Kaole are the ruins of once prosperous Arab town, which was forced into decline by the arrival of Portuguese in the 15th century.

The ruins dating back to the 12th century include 2 mosques, one with a well and over 20 tombs. All the buildings were built in carved coral stone blocks.

Catholic Church and Museum

First built in 1872, and it's where the body of Dr. Livingstone kept before transferred to Zanzibar then England. 2nd Church built in 1909 1914.

Old prison

A prison where slaves were kept before herded through underground tunnels to waiting dhows at the Harbor, where their journey unknown world began.

German's tombs

It is the memory for the most of the German leaders who passed away during the First World War.

Old Boma (British oversees Management Association)

Built in 1897 as the British first state house.

Cross

Erected in 1867 by French missionaries as thanks and emblem to the Nation.

-

[TAN 5] Zanzibar

Zanzibar evokes dreams of romance and mystery and the reality will not disappoint the traveler bored with mass tourism and seeking an enlightening and enjoyable holiday experience, the name Zanzibar includes the main island and its sister islands Pemba and Mafia.

To the shores of Zanzibar came Sumerians, Assyrians, Egyptians, Indians, Phoenicians, Chinese, Persians, Malays, Portuguese, Arabs, Dutch and the British each leaving behind a legacy of their stay.

Bantu tribes from the mainland were first inhabitants of the island, but by 700 AD the Indian trade winds had brought Persians and Arabs to its shores, then the intermarriage of the Arabs and the native inhabitants gave birth to a new people and Language of Swahili.

Zanzibar achieved independence under Sultan Jamshid bin Abdullah in December 1963 but he was toppled in favor of a Peoples republic a month later.
On 26 April 1964 the republic joined Tanganyika to become the United Republic of Tanzania.

Explore the forest of Jozani
Located 35 km south east from the city, an area of 10 sq km. with its rare flora and fauna and thick forest with trees over 100 years old, are one of the last remaining sanctuaries of the red Colobus Monkey, or visit some of the ancient, archeological sites.

Changuu or Prison Island
The Island was used to contain awkward slaves and jail which built in 1893 but never used. Today the island's most famous inhabitants are the endangered giant land tortoises and popular place for swimming.

Kizimkazi
Located South of the island where the ruins of Shirazi Mosque is, and part of which dates back nearly 900 years are found. Other ruin includes Kizimbani, Dunga, Chuini, Kidichi and Bungi.

House of Wonders

Built by Sultan Barghash in 1883, and was occupied by British in 1911 when the sultan moved to less pretentious palace, now called the People's Palace on the other side of the street.

Tippu Tip House

Built for a notorious slave and ivory trader, Hamad Bin Muhammad el Marjab, The site of a former slave pit to be found Nearby in Kelele Square.

National museum

Opened in 1925 and is a good starting point for finding out more of the history and culture of Zanzibar.

Livingstone house

Scottish explorer lived for 3 month in 1866 gathering suppliers for the expedition which was to turn out as his last.

Stone town

The old city and cultural heart of Zanzibar's historic where Sultans once ruled,
which was designated as a UNESCO World Heritage Site

Old fort

Built on the site of a Portuguese church when the Arabs too over the island.

Cathedral Church of Christ

Completed in 1879 on the site of an open slave market.

Spice Farm

Taste traditional Spice and learn about the cultivation

Safari Blue Boat Trip

The best coral reefs

Scuba Diving

The water of the Indian Ocean, particularly those off the coasts of Zanzibar, Pemba and Mafia Island provide superb opportunities for scuba divers, the coral reefs, teeming with colorful fish can be explored on diving for both beginners and experts.

박봉수,
아프리카를 만나다

|

초판 1쇄 인쇄 2020년 6월 30일
초판 1쇄 발행 2020년 7월 1일
저자 박봉수
발행 홍기표
디자인 (주)피알펙토리플랜
등록 2011년 4월 4일 (제319-2011-18호)
전화 02-780-1135
팩스 02-780-1136
페이스북 http://www.facebook.com/Geultong
이메일 geultong@daum.net
ISBN 979-11-85032-50-4
정가 15,000원